de

Chagall

Marie-Hélène Dampérat
Sylvie Forestier
Éric de Chassey

Flammarion

De Vitebsk à Montmartre, de la Russie bolchévique à New York ou Vence, en Chagall dialoguent constamment la tradition judéo-russe et les recherches plastiques de son temps. Toujours plus libre face aux avant-gardes, en quoi son art a-t-il marqué notre siècle ?

On dit que le merveilleux chez Chagall provient de la fusion du profane et du divin. Mais que signifient ces vaches sur les toits et ces amants qui s'envolent ?

La poésie chagallienne est dit-on porteuse de messages universels. Quelle pensée rassemble les crucifixions et les jeunes mariés, les soldats ivres et les naissances heureuses ? Les bœufs écorchés et les anges ?

Le guide de l'abécédaire p. 6

Il explique comment comprendre Chagall en regroupant les notices de l'abécédaire selon la nature de son art et les circonstances de sa vie. Un code de couleurs indique le genre de chaque notice :

■ Les œuvres :
les sujets du peintre,
l'analyse du style.

■ L'entourage :
les peintres,
les écrivains,
les critiques.

■ Le contexte :
les courants esthétiques,
la pratique picturale,
le cadre historique.

À partir de la lecture de ces notices, et grâce aux renvois signalés par les astérisques, le lecteur voyage comme il lui plaît dans l'abécédaire.

L'abécédaire p. 29

Par ordre alphabétique, on trouvera dans ces notices tout ce qu'il faut savoir pour entrer dans l'univers de Chagall. L'information est complétée par les éclairages suivants :
- des commentaires détaillés de ses tableaux majeurs ;
- des encadrés qui expliquent ses choix thématiques ou stylistiques et précisent le contexte dans lequel s'inscrit sa carrière.

Chagall raconté p. 11

En tête de l'ouvrage, le récit de la vie et le sens de l'œuvre sont restitués dans leur développement historique. Cette synthèse reprend l'articulation du guide de l'abécédaire en développant chacun de ses thèmes.

I. MA VIE

A. D'une Russie l'autre (1887-1922)

Paris, 1910. Un jeune peintre de vingt-trois ans s'installe parmi la bohème de Montparnasse. Juif de Vitebsk, élève de Bakst, il résiste à toute adhésion sans rien ignorer du renouveau artistique, qu'il soit fauve, cubiste ou orphique. En 1914, une exposition le fait connaître à Berlin, autre pôle des avant-gardes. En Russie où il se rend ensuite, la guerre puis la révolution d'Octobre le retiennent jusqu'en 1923.

■ *Avant 1914*   ■ *Opéra*   ▧ *Rembrandt*
▧ *Bella*   ■ *Ma vie*   ■ *Saint-Pétersbourg*
▧ *Maïakovski*   ■ *Salon*
                                       ■ *Vitebsk*

B. Entre Paris et New York (1923-1947)

Déçu par le régime soviétique, Chagall retrouve à Paris sa liberté. S'il avait été avant-guerre l'ami d'Apollinaire, il ne sera pas celui de Breton. En plein surréalisme, il illustre Gogol, La Fontaine et la Bible. En 1941, une invitation du MoMA l'arrache aux lois de Vichy et New York le rapproche à nouveau du monde théâtral.

■ *Âme de la ville*   ■ *Entre-deux-guerres*   ▧ *Matisse*
■ *Amérique*   ▧ *Gogol*   ■ *Paris des avant-gardes*
                      ■ *Gravures et livres illustrés* ■ *Poète*
                                                      ▧ *Vollard*

C. Les années méditerranéennes (1948-1985)

Chagall s'établit à Vence. Sa célébrité ne cesse de croître au fil des expositions et des commandes. Aspirant au monumental, le peintre conçoit mosaïques et vitraux. Malraux lui offre le plafond de l'Opéra de Paris et les scènes internationales se disputent ses décors. Avec le musée du Message biblique, inauguré en 1973, il laisse à la France le grand cycle de peintures qui l'égale aux meilleurs décorateurs.

■ *Après 1948*   ▧ *Tériade*   ■ *Vence*
▧ *Aragon*   ▧ *Vava*
▧ *Malraux*

II. L'ART : UNE FENÊTRE OUVERTE SUR UN AUTRE MONDE

A. La traversée des avant-gardes

Les premières œuvres russes accordent la leçon de Bakst et, au-delà celle de Gauguin, à la tradition des icônes et des images populaires. Du cubisme, à Paris, Chagall retient la concrétisation géométrique de l'espace et ne sacrifie ni le coloris ni le choix de ses thèmes au raidissement des formes. En dépit d'une influence certaine, Delaunay d'abord, Malévitch ensuite ne l'entraîneront pas dans l'abstraction.

- *Au-dessus de la ville*
- *Berlin cosmopolite*
- *Cendrars*
- *Cubisme*
- *Delaunay*
- *Double portrait au verre de vin*
- *Expressionnisme*
- *Fauvisme*
- *Hommage à Apollinaire*
- *Léger*
- *Orphisme*

B. Une esthétique du surnaturel

Derrière le réel la peinture de Chagall laisse entrevoir la présence du divin. Le merveilleux se répand dans les scènes de la vie ordinaire, rayonne dans l'union charnelle et mystique des amants, trouve d'autres symboles dans la flore et le bestiaire du peintre. Mais au cours des années 1930 crucifixions et nocturnes rappellent que l'homme est aussi capable de folie meurtrière.

- *Ange*
- *Apesanteur*
- *Apollinaire*
- *Apparition*
- *Autoportrait aux sept doigts*
- *Merveilleux*
- *Miroir*
- *Visionnaire*

C. L'après-guerre : « le grand jeu de la couleur »

Dès son installation à Vence, Chagall, comme Cézanne avant lui, libère sa peinture de toute contrainte linéaire et dessine avec la couleur. Plus que jamais la gravitation échappe à ce lyrisme coloré où figures et espace fusionnent.

- *Céramiques*
- *Chute d'Icare*
- *Cirque*
- *Couleur*
- *Mosaïques*
- *Sculptures*
- *Vitraux*

III. EXPRIMER LE DIVIN

A. Les âges de la vie

Dans le cycle ininterrompu de la vie et de la mort, Chagall veut voir l'action de la providence divine. Nourrissons et vieillards symbolisent par leur récurrence le caractère sacré de la destinée humaine. La gravité des rabbins succède à l'émerveillement des enfants. Leurs dessins, chers au peintre, n'en portent-ils pas trace ?

■ *Amoureux et fiancés*   ■ *Mort*   ■ *Naissance*
■ *Mariés de la tour Eiffel*   ■ *Noces et mariages*

B. Bestiaire et flore

Tous les êtres de la Création se rejoignent dans l'univers chagallien où l'unité perdue de l'homme et de la nature cherche à se reformer. Éden propice aux métamorphoses, ce monde peuplé de fleurs et d'animaux familiers refuse jusqu'à la séparation des règnes.

■ *À la Russie, aux ânes et aux autres*   ■ *Bouquets et fleurs*
■ *Bestiaire*   ■ *Coqs*

C. Judaïsme et mythologie

L'humanisme de Chagall abolit la séparation du profane et du religieux, l'opposition entre judaïsme et mythes païens. Car, au-delà des différences de religion, sa peinture célèbre la grandeur de l'homme universel.

■ *Bible*   ■ *Juif rouge*   ■ *Synagogue*
■ *Couturier*   ■ *Message biblique*   ■ *Visionnaire*
■ *Crucifixion*   ■ *Vitebsk*
■ *Judaïsme et spiritualité*

IV. EN SCÈNE : UN PEINTRE DÉCORATEUR

A. L'expérience révolutionnaire

En 1920 Chagall est à Moscou, il peint à la demande d'Alexei Granovski le décor de la salle du théâtre d'Art juif. Mêlées aux musiciens ou aux danseurs, des arabesques florales et des formes abstraites rappellent Bakst et l'Art nouveau, Malévitch et le suprématisme. Symbolisant les arts de la scène, les cinq panneaux désignent le théâtre comme le lieu fédérateur d'une expérience collective, sacrée, du bonheur.

■ *Bakst*   ■ *Révolution russe*   ■ *Violoniste*
■ *Ma vie*   ■ *Suprématisme*
               ■ *Théâtre d'Art juif*

B. En Amérique

Depuis le début du XXᵉ siècle les Russes ont réformé l'écriture musicale, chorégraphique et théâtrale. C'est naturellement que Chagall se voit associer à Massine pour la reprise new-yorkaise d'*Aleko* en 1942. Trois ans plus tard *L'Oiseau de feu*, avec Balanchine et Stravinsky, l'autorise à établir un espace coloré neuf. L'absorption de personnages y annonce le style de Vence.

■ *Amérique*   ■ *Léger*
■ *Bella*   ■ *Matisse*
               ■ *Opéra*

C. L'Opéra de Paris

À son retour Chagall poursuit ses recherches dans le domaine lyrique, créant par exemple décors et costumes pour le *Daphnis et Chloé* de Ravel. Puis c'est le plafond même de l'Opéra Garnier qu'il orne d'allégories musicales. À la fois compartimenté et affranchi par la couleur de toute stabilité, ce panthéon accueille ses musiciens d'élection de Mozart à Stravinsky.

■ *Après 1948*
■ *Malraux*
■ *Opéra*
■ *Vava*

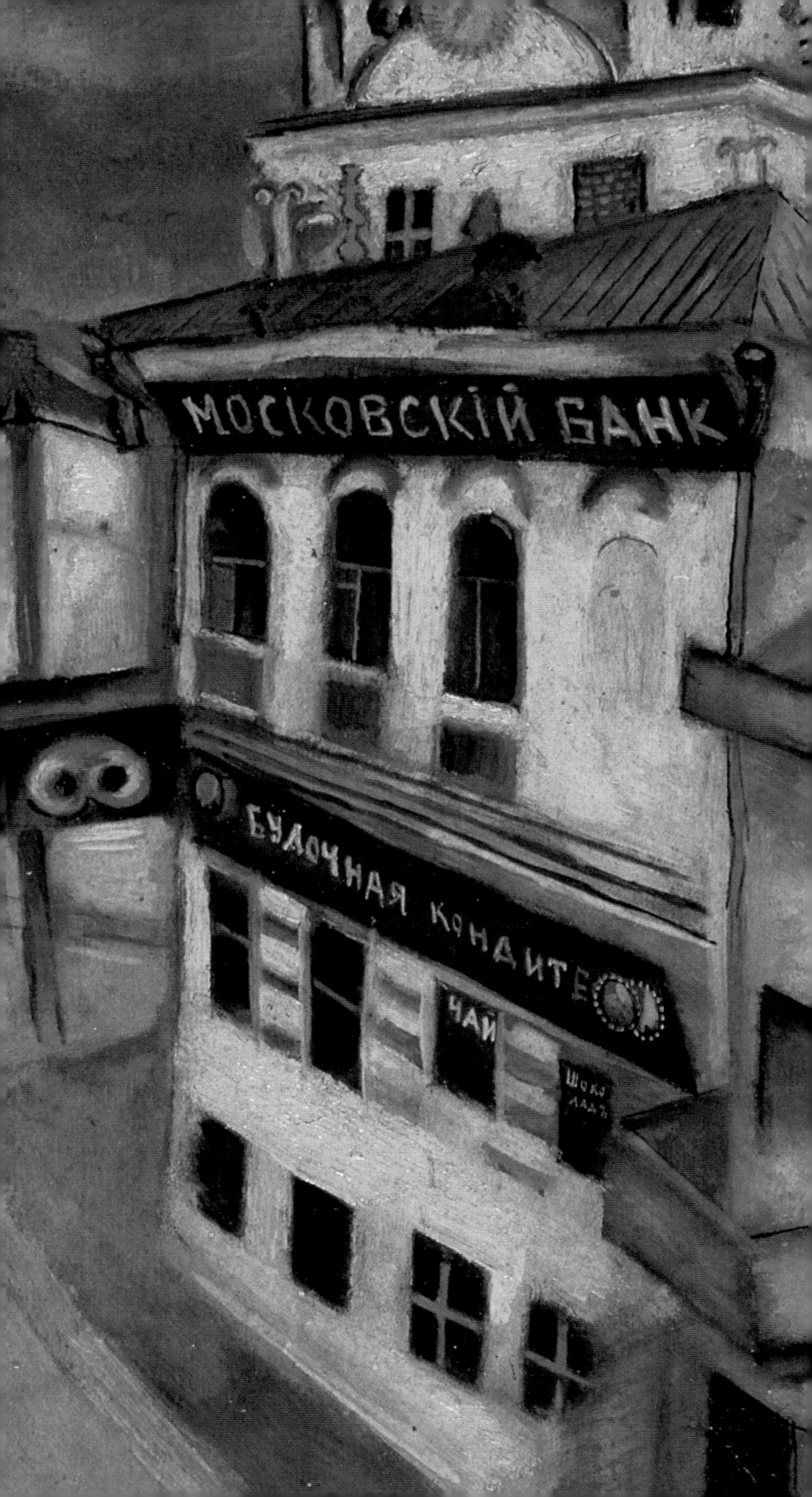
МОСКОВСКІЙ БАНК
БУЛОЧНАЯ КОНДИТЕ
ЧАЙ
ШОКО
ЛАДЪ

CHAGALL RACONTÉ

Chagall inclassable ? C'est vrai. Chagall solidaire de l'art de son siècle ? C'est aussi vrai. Lui qui très tôt a tout questionné, les modernes comme le Louvre, n'a pas cessé de cultiver la tradition judéo-russe, celle de Vitebsk*.

I. Ma vie
A. D'une Russie l'autre (1887-1922)

Chagall n'a que trente-cinq ans lorsqu'il quitte définitivement sa Russie natale. Pourtant, cette identité première, forgée au contact de l'imaginaire slave et de la spiritualité hassidique, restera la marque insistante de son univers pictural. Marc Chagall voit le jour dans le faubourg juif de Vitebsk, le 7 juillet 1887. Il est l'aîné d'une famille de neuf enfants. Son père, très pieux, ne peut que désapprouver une carrière de peintre. Mais le sort en est jeté ; à l'encontre du Second Commandement, Chagall fera des images. Après deux mois passés dans l'atelier local de Jehouda Pen, il part pour Saint-Pétersbourg* où l'enseignement libéral de Léon Bakst* lui permet de mieux connaître l'art moderne d'Europe occidentale et ainsi d'affirmer sa personnalité. En 1910, Chagall décide de se rendre à Paris, pressé de participer « à cette unique révolution de l'art en France ». Il laisse Vitebsk et Bella*, s'installe à Montparnasse, bientôt à La Ruche et assimile rapidement les leçons de Van Gogh, de Gauguin, du fauvisme* et du cubisme*. Chagall est proche de Delaunay*, de Cendrars* et d'Apollinaire* qui qualifie ses toiles de « surnaturelles ». Il est vrai

La Ruche, Paris, passage de Dantzig. Photographie du début du siècle.

Page de gauche : *La Banque de Moscou* (détail), 1914. Paris, succession Ida Chagall.

que sa peinture, parfois mal comprise, reste en France peu connue et n'est guère montrée au public. C'est d'ailleurs à Berlin* qu'Herwarth Walden organisera, en 1914, sa première exposition personnelle.

Le peintre en profite pour retourner à Vitebsk où la guerre le surprend. Il épouse enfin Bella et se trouve engagé dans un bureau d'Économie de guerre à Pétrograd. Favorable à la Révolution*, il est nommé par son ami Lounatcharski directeur de la nouvelle académie des Beaux-Arts de Vitebsk. Mais il démissionne de ses fonctions dès 1920, à la suite d'un conflit avec Malévitch (voir Suprématisme). Chagall se consacre alors à la scène et réalise les décors du théâtre* d'Art juif de Moscou. Cependant, ses relations avec les autorités se dégradent et il choisit, en 1922, de quitter la Russie. Après une année difficile passée à Berlin, le peintre se réinstalle à Paris.

B. Entre Paris et New York (1923-1947)

À Paris, Vollard* l'attend. Chagall va illustrer pour le marchand plusieurs ouvrages qui seront finalement publiés, après guerre, par Tériade* : *Les Âmes mortes* de Gogol*, les *Fables* de La Fontaine et *La Bible**. Jaloux de son indépendance, le peintre refuse de participer au mouvement surréaliste, redoutant les effets d'un certain dogmatisme. Dans la capitale-lumière, qu'il considère comme un second Vitebsk, Chagall vit avec bonheur les années folles. Accompagné de sa famille, il se déplace fréquemment en province, de la Bretagne à la Côte d'Azur et découvre une nature éblouissante. Les voyages se multiplient encore dans les années trente : Palestine, Italie, Hollande, Angleterre, Espagne.

Mais la montée de l'antisémitisme et des nationalismes va mettre progressivement fin à ces temps heureux. En 1937, Chagall prend la nationalité française alors que le régime nazi décroche ses toiles des musées allemands. À partir de 1939, le peintre, sa femme et sa fille Ida se réfugient à Saint-Dyé-sur-Loire, puis à Gordes. Invités par le Museum of Modern Art de New York, ils quittent la France pour les États-Unis en juin 1941 (voir Amérique).

Chagall est bouleversé par la guerre. Fidèle à son langage poétique et symbolique, il dénonce inlassablement la mort et la destruction. En 1942, l'American Ballet Theatre lui commande les décors et les costumes d'*Aleko*. Ainsi, au milieu de tant de désolations, Chagall renoue avec la grande tradition des Ballets russes. Il renouvellera cette expérience, en 1945, avec *l'Oiseau de feu*. Quand enfin arrive la Libération, le peintre est frappé par la mort brutale de Bella (septembre 1944). Il rentre définitivement en France, en 1948.

Panneau du théâtre d'Art juif : *La Musique*, 1920. Tempera, gouache et argile blanche sur toile 213 × 104. Moscou, galerie Trétiakov.

C. Les années méditerranéennes (1948-1985)

Dès son retour, Aimé Maeght devient son marchand. L'artiste s'installe, en 1950, dans sa villa « La Colline » à Vence*. Il se remarie, deux ans plus tard, avec Valentina Brodsky, surnommée Vava*. Cette dernière partie de sa longue carrière va lui valoir une consécration officielle, tout à fait exceptionnelle. Titres honorifiques, expositions et rétrospectives se multiplient. Les commandes se succèdent. L'artiste s'intéresse à toutes les techniques. Aucun support n'échappe à son « prosélytisme », rien n'entrave le triomphe de ses images. Des illustrations faites pour Aragon* ou pour l'*Odyssée* aux tapisseries de la Knesset, en passant par la mosaïque* de l'université de Nice, son activité est incessante, insatiable. Toujours étroitement lié au monde du spectacle, il décore le Watergate Theater de Londres, le théâtre de Francfort, le Metropolitan Opera de New York et bien sûr le plafond de l'Opéra de Paris. Chagall œuvre également pour le renouveau du vitrail* et exécute de très nombreuses verrières pour Chartres, Reims, Metz, Jérusalem... Son travail tend à la monumentalité. En 1973, le peintre se rend en Union soviétique, mais refuse de retourner à Vitebsk. La même année, le musée du Message* biblique est inauguré à Nice. Ce cycle, offert à l'État français, est une sorte de testament spirituel et artistique. Chagall meurt à Saint-Paul-de-Vence en 1985, à l'âge de quatre-vingt-dix-sept ans.

II. Une fenêtre ouverte sur un autre monde
A. La traversée des avant-gardes

Replacé dans ce premier demi-siècle des avant-gardes européennes, l'œuvre de Chagall, rétif à toute classification, déroute l'historien. Mais son indépendance ne l'exclut en rien de la modernité à laquelle l'artiste participe pleinement jusqu'à la Seconde Guerre mondiale, et même au-delà.

Ses débuts chez Pen (voir Avant 1914) sont empreints d'un réalisme fin de siècle, dans la ligne de Serov. *La Femme à la corbeille* présente cependant des déformations expressives qui échappent déjà à tout académisme. À Saint-Pétersbourg, Chagall peint des plein-airs, *Cimetière* et *Usine*, dans le goût d'Isaak Levitan. Mais le jeune homme évolue rapidement au contact de Bakst. L'ambiance Art nouveau domine l'école Zvanseva, sans que le collaborateur de Diaghilev ne se plie toutefois à cette tendance décorative. Il insiste sur la simplicité du dessin*, les hardiesses de la couleur*, ouvre ses élèves à la peinture moderne. L'art de Gauguin, l'espace immatériel des icônes marquent alors profondément Chagall par leur caractère sacré, qui

La Danse, 1950.

H/t 232 × 173.

Paris, musée national

d'Art moderne (dation 1988).

peint le monde de Vitebsk dans un esprit plus spirituel que folklorique. *La Circoncision*, *Le Mort*, *La Naissance* participent du profane et du religieux, dans un souci de grande expressivité.

Chagall arrive à Paris : « les paysages, les figures de Cézanne, Manet, Seurat, Renoir, Van Gogh, le fauvisme de Matisse et tant d'autres me stupéfièrent. Ils m'attiraient comme un phénomène de la nature ». Les premières toiles parisiennes, comme *Le Sabbat*, doivent beaucoup aux halos lumineux du *Café de nuit* de Van Gogh, aux coloris fauves, grandement dégagés du naturalisme. Chagall mûrit également les leçons de Cézanne et emprunte rapidement au cubisme sa matérialisation géométrique de l'espace et du modelé. Mais l'artiste reste fidèle à la couleur, comme Delaunay et Léger*. En 1911-1912, le fractionnement de plans est particulièrement sensible dans les prismes angulaires de *À* la Russie, aux ânes et aux autres* ou dans le cercle clos de l'*Hommage* à Apollinaire*. Par la suite, l'apport du cubisme, renforcé au contact du suprématisme russe, restera vivace dans l'œuvre de Chagall jusqu'aux années vingt, et bien au-delà si l'on considère la liberté spatiale alors acquise par l'artiste. Il use de la superposition des plans pour créer « des arrangements picturaux d'images intérieures ».

B. Une esthétique du surnaturel

Chagall considérait la peinture « comme une fenêtre à travers laquelle je m'envolerais vers un autre monde ». Un monde magique qui doit beaucoup à la tradition hassidique de l'Europe de l'Est. L'artiste tend à abolir les distinctions que les apparences établissent entre le profane et le divin, à retrouver l'unité originelle dans le merveilleux* qui émane de ses images. Il se joue de la gravitation (voir Apesanteur), des échelles et des espèces. Mais ces extravagances sont indissociables de la forme. Chagall est à la recherche d'« une mystérieuse quatrième ou cinquième dimension, laquelle, intuitivement, donne naissance à une balance de contrastes plastiques et psychiques ». Car il a toujours voulu être jugé, au-delà des symboles, « sur la forme et la couleur ».

Déjà dans *Le Mort* de 1908, la rue, les cierges, le violoniste* perché sur le toit transposent le souvenir du réel dans un monde équivoque. Au temps de La Ruche, l'onirisme s'accentue. Ce qui fera dire à André Breton, pape du surréalisme : « C'est de cet instant que la métaphore, avec lui seul, marque son entrée triomphale dans la peinture moderne. » La fermière quitte le sol, Adam et Ève fusionnent en un seul corps. *Le Poète* et *Le Saoul* perdent la tête, signe d'ivresse et

L'Hortensia blanc
(détail), 1928.
Coll. part.

d'invention. Le peintre exalté a deux têtes, sept doigts (voir Autoportrait aux sept doigts), démultipliant son pouvoir créateur.

De retour en 1914, Chagall retrouve les réalités de sa ville natale. Il crée alors un ensemble d'œuvres plus naturalistes, juifs, fiancés et bien sûr Vitebsk. Mais bien vite, *La Pendule* et *Le Miroir** atteignent des dimensions surnaturelles, le juif démesuré enjambe les faubourgs et les amoureux* s'envolent. Cette dynamique culmine dans l'*Introduction au théâtre d'Art juif* où vaches, coqs*, musiciens et acrobates sont emportés sans dessus-dessous, dans une danse effrénée. Au temps du retour à l'ordre et de la détente, Chagall ne cesse de cultiver son univers poétique que peuplent fleurs, animaux, saltimbanques et amants. Puis à l'approche de la guerre, le rêve laisse place aux nocturnes* et aux crucifixions*. Les villages et les synagogues* brûlent, les hommes fuient, les mariés pleurent et le coq s'embrase. L'Histoire se réveille et revêt ici le visage de l'Apocalypse.

C. L'après-guerre : « Le grand jeu de la couleur »

Après le long exil américain, Chagall, âgé de soixante ans, jouit d'une immense célébrité. Sa carrière va prendre un nouvel essor. L'artiste joue « le grand jeu de la couleur », pour reprendre l'expression de Malraux, et sacrifie le dessin. Il regarde du côté de Venise et de Monet. Ses toiles sont construites selon de larges aplats colorés, volontiers contrastés. Magnifiée par les lumières du Midi, la couleur déborde les contours, noie les figures, fait vibrer la matière. « Au fond, pour moi, ce qu'on appelle sujet, c'est encore une partie de la technique » explique Chagall, qui reprend inlassablement ses thèmes privilégiés : la Bible, les anges*, Vitebsk, Paris, les amoureux, les musiciens, les gens du cirque*, les animaux, les fleurs… « Avec l'âge […], on regarde en dedans de soi comme si c'était dehors, on peint son intérieur comme une nature morte. » L'artiste synthétise ce monde dans de grandes compositions comme *La Vie*, exécutée en 1964 pour la Fondation Maeght. Une multitude d'images gravitent dans l'espace défocalisé. Le même foisonnement se retrouve dans les toiles du *Message biblique (La Création de l'homme)* ou dans les œuvres monumentales. Il n'est qu'à penser au plafond de l'Opéra de Paris. Face à la tentation de la peinture pure, Chagall parfois répond par une débauche de signes. Mais il réalise aussi des pièces plus intimistes, plus poétiques ou plus lyriques : le tendre *Portrait de Vava*, la plénitude d'Orphée, l'hymne lumineux du *Cantique des Cantiques*…

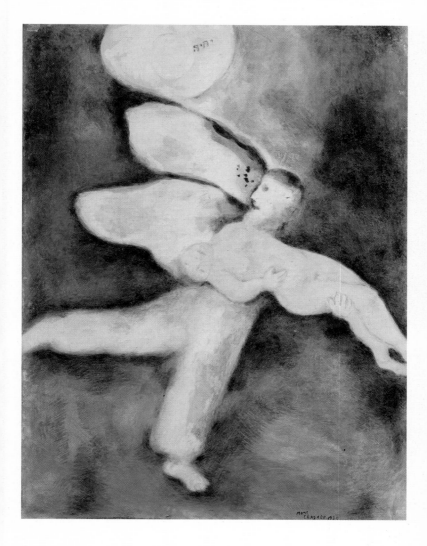

À la fin des années soixante-dix, Chagall prend part, non sans para-
doxe, à une nouvelle modernité qui tend à réaffirmer le pouvoir de
la peinture et de l'image.

*Dieu crée
l'Homme,*
1930.
Gouache
64 × 48.
Nice, musée
national
Message
biblique
Marc Chagall.

III. Exprimer le divin
A. Les âges de la vie

Chagall s'est attaché, dès ses débuts, à la représentation de la figure
humaine. Il peint sa famille et plus largement le monde de Vitebsk.
Passants, artisans, rabbins ou musiciens, l'artiste emporte leurs
visages et leurs gestes dans son univers pictural. Clairement indivi-

La Naissance,
1910.
H/t 65 × 89,5.
Zurich,
Kunsthaus.

dualisés dans les œuvres de 1914-1915 ou les illustrations de Gogol, ces personnages se mêlent et se pressent, tous âges confondus, dans le cortège du Peuple élu. De la naissance* à la mort*, Chagall peint les différentes étapes de la vie, la sienne et celle de ses semblables. Une existence universelle et œcuménique dont l'artiste, sans cesse, révèle le caractère sacré. Le peintre renouvelle le thème classique des trois âges. Comme dans certaines icônes, le nourrisson apparaît dans le ventre maternel (*Femme enceinte*, 1913) ou plus curieusement incrusté dans la joue de Bella au moment de *La Noce**. Puis vient la naissance, le lit de l'accouchée et le nouveau-né aux bras des époux. Innocent, l'enfant surgit parfois sous la forme d'un ange comme dans *Les Mariés** *de la tour Eiffel* (1928) où l'on peut reconnaître les traits de la petite Ida. La maturité est grandement dévolue à l'amour. Amoureux, fiancés et mariés s'unissent, s'embrassent, s'enlacent, s'envolent. Cette vitalité est aussi traduite par la ronde des gens du cirque, les musiciens inspirés ou le peintre au travail. La vieillesse apparaît au front du juif errant, à la barbe de Moïse. Chagall a gardé les visages des hassidim de son enfance, marchands de journaux, rabbins, violonistes que le génocide a engloutis. Alors survient la mort, étrange dans le tableau de 1908 (*Le Mort*), violente au temps de la guerre, transcendante dans la Crucifixion. L'Éternel n'est-il pas présent en chaque être ?

« L'enfant qui dort, la mère qui le caresse, le vieillard qui écoute le bruit des arbres : de chacun Dieu est proche, en chacun Dieu est présent » (E. Wiesel, cité par G. Barrière).

Les Mariés de la tour Eiffel (détail), 1938-1939. Paris, musée national d'Art moderne (dation 1988).

B. Bestiaire et flore

La spiritualité hassidique s'apparente à un certain panthéisme. Faune et flore sont aussi l'expression du divin ; comme dans les gravures populaires slaves, les *loubki*, elles participent au merveilleux de l'image. Venus du monde de Vitebsk, l'âne, le cheval, la chèvre, le coq, le poisson, le taureau la vache sont, chez Chagall, les inséparables et tendres compagnons du genre humain. Ils s'envolent, méditent, jouent de la musique ou enlèvent de belles écuyères et partagent le transport des amoureux et les douleurs de la guerre. Mais plus encore, ce bestiaire* exprime l'inconscient, l'indicible : le désir, la peur, l'inspiration, le mysticisme… Chaque animal véhicule une symbolique particulière. La vache représente tout à la fois la patrie, la mère nourricière, la tendre amante. Le coq matérialise un principe viril et solaire, mais il est également l'oiseau sacrificiel du Grand Pardon ou le signe du reniement de saint Pierre. Chagall entremêle les espèces. L'âne porte la queue emplumée du coq, des ailes poussent au dos de la chèvre, la tête de Moïse apparaît sur un corps d'oiseau… L'homme et la bête s'associent à la nature, que

Chagall a découvert, dans les années vingt, jalonnant la campagne française. Ses paysages sont alors mousseux et chatoyants, au diapason des amoureux. Dans son œuvre tardive, les bouquets* de fleurs qui s'épanouissent à la lumière du Midi semblent avoir été cueillis au jardin d'Éden. Une parcelle du Paradis terrestre ou le feu mystique du Buisson ardent.

C. Judaïsme et mythologie

Les hassidim (voir Judaïsme) considéraient les Écritures comme une réalité vivante. Abraham, Jacob, Élie sont des ancêtres presque familiers qui, à tout moment, peuvent paraître. Chagall a déclaré avoir été, depuis l'enfance, « captivé par la Bible. Il m'a toujours semblé et il me semble encore que c'est la plus grande source de poésie de tous les temps. Depuis lors j'ai cherché ce reflet dans la vie et dans l'art ». Le faubourg juif de Vitebsk, les paysages et les monuments de Palestine, découverts en 1931, ont nourri d'images l'inspiration du peintre. « Je ne voyais pas la Bible, je la rêvais. » Dès ses débuts, Chagall a peint des scènes religieuses : Adam et Ève, Abel et Caïn, et une première crucifixion datée de 1912 *(Golgotha)*. Cet intérêt va grandir dans les années trente. Chagall commence, en 1931, l'illustration de la Bible, à la demande de Vollard. Attaché à l'Ancien Testament, l'artiste exécute cent cinq gravures racontant, depuis la Création, l'histoire du Peuple élu. Il multiplie également, à l'approche de la guerre, les représentations du Christ en croix, symbole de souffrance et de fraternité. Après l'exil américain, ce mysticisme poétique va trouver à s'exprimer dans l'œuvre monumentale, du baptistère d'Assy aux vitraux de Metz, en passant bien sûr par le *Message biblique*. Chagall, peintre d'histoire, ne cesse de réaffirmer la pérennité et l'universalité du mythe, comme la plus haute expression d'un humanisme transcendant. C'est Icare brisé, brûlé aux interdits ; c'est Orphée démiurge, luttant contre la mort ; c'est enfin le panthéisme des infinies métamorphoses. Pour Chagall, « l'Art est en quelque sorte une mission », qui « tente de donner conscience à des hommes de la grandeur qu'ils ignorent en eux », pour reprendre les mots d'André Malraux* dans *La Condition humaine*.

Panneau du théâtre d'Art juif : *La Danse*, 1920. Tempera, gouache et argile blanche sur toile 214 × 108,5. Moscou, galerie Trétiakov.

IV. En scène : un peintre décorateur
A. L'expérience révolutionnaire

Alors qu'il est directeur de l'Académie de Vitebsk, Chagall est chargé d'organiser dans sa ville le premier anniversaire de la Révolution*. Il reprend ses motifs et les gonfle à l'échelle de la rue. « Pourquoi la

Fleurs sur Paris,
1967.
H/t 148 × 140.
Coll. part.

vache est-elle verte et pourquoi le cheval s'envole-t-il dans le ciel, pourquoi ? Quel rapport avec Marx et Lénine ? » s'étonnent déjà ses détracteurs. Après avoir quitté ses fonctions officielles, Chagall se consacre au théâtre. Il crée les décors et les costumes du *Revizor* de Gogol et du *Baladin du monde occidental* de John Synge, dans l'esprit du renouveau scénique souhaité par Meyerhold. Mais ces projets n'aboutissent pas. En 1920, Alexeï Granovski commande à l'artiste de grandes peintures décoratives pour le théâtre juif Kamerny de Moscou. Sous l'impact du suprématisme, Chagall stylise, géomé-trise. Les aplats colorés concrétisent l'espace pictural et dynamisent la composition. *L'Amour sur la scène*, immatériel et évanescent, accueille le public dans le monde onirique du spectacle. Sur la droite se succèdent quatre panneaux symbolisant *La Musique*, *La Danse*, *La Littérature* et *Le Théâtre*. Robuste campagnarde, violoniste aérien, l'allégorie est traitée dans un style naïf et populaire, inspiré du folk-lore juif. Sur la gauche domine la grande composition *Introduction au théâtre d'Art juif.* Chagall déploie une frise mouvante de person-nages où l'on reconnaît le peintre, soulevé par son ami Efros, le grand acteur Michoëls et Granovski. La chèvre se mêle à la ronde des musiciens, la vache chavire avec les acrobates. Les objets du *Repas de Noce* eux-mêmes s'animent. Il est vrai que selon la tradition hassi-dique, l'action physique accompagne le transport psychique. Chagall a placé là, avant l'exil, toute sa ferveur, toutes ses espérances. Plus tard les toiles seront arrachées des murs, puis le théâtre fermé, victi-me du stalinisme. Mais, en 1973, Chagall retrouvera son œuvre, à présent conservée à la galerie Trétiakov, et il la signera.

B. En Amérique

En 1942, alors qu'il traverse les temps douloureux de la guerre et de l'exil, Chagall renoue avec le monde du spectacle. Il réalise les décors et les costumes d'*Aleko* pour l'American Ballet Theatre. Sur une musique de Tchaïkovski, le thème est emprunté aux *Tziganes* de Pouchkine et la chorégraphie confiée à Léonide Massine. Le peintre s'installe, à la fin de l'été, à Mexico où la première aura lieu le 10 septembre. De l'aurore à la nuit, quatre tableaux se succèdent où l'on retrouve les amoureux, le cheval cabré, le coq géant, mais aussi le crucifié. Tous ces personnages sont emportés dans le courant de la danse, de la vie et de la couleur qui connaît un nouvel épanouisse-ment : intense et rayonnante, mystique. En 1945, Chagall reçoit une autre commande du Ballet Theatre, *L'Oiseau de feu* de Stravinsky sur une chorégraphie de Balanchine. « J'ai voulu pénétrer dans l'*Oiseau de Feu* et dans *Aleko* sans les illustrer, sans copier quoi que ce soit », explique l'artiste. « Je veux que la couleur joue et parle seule. » Désormais, elle établit l'espace et absorbe les figures. Cette orchestration des couleurs initie l'œuvre tardif. En 1964, le Metropolitan Opera de New York lui commande des décors et des costumes pour *La Flûte enchantée* de Mozart, puis deux grandes décorations murales, *Les Sources de la musique* et *Le Triomphe de la musique*. Bach, Mozart, Beethoven, Wagner et Verdi, les acrobates, les musiciens et les danseurs gravitent autour du poète bicéphale, tout à la fois David et Orphée. Entre judaïsme et mythologie, Chagall témoigne du caractère universel de la Création.

C. L'Opéra de Paris

Après le plafond du Louvre confié à Braque et avant celui du théâtre de l'Odéon donné à Masson, Malraux commande à Chagall une nouvelle coupole pour l'Opéra Garnier, qui sera inaugurée le 23 septembre 1964. L'artiste a déjà exécuté les décors et les costumes de *Daphnis et Chloé* pour l'Opéra de Paris. Son plafond se divise en cinq grands triangles dont les masses colorées contrastent et s'équilibrent. Elles préservent la lisibilité de l'ensemble. Conformément à son style tardif, la couleur est à la fois espace et substance. Les figures flottent en apesanteur, sans souci d'échelle, seulement contraintes par le mouvement centrifuge du cercle. Chaque section est réservée à deux musiciens, le peintre établissant librement son panthéon. L'ange de Mozart s'élève, souriant, aux côtés d'un coq flûtiste. Roméo et Juliette, amants éternels, évoquent Berlioz ; les danseuses en tutus illustrent les ballets d'Adam et de Tchaïkovski. Près du village russe apparaît le visage de Boris Godounov, tandis que *L'Oiseau de feu* de Stravinsky flamboie dans le rouge sous la forme d'un coq couronné. Paris et Vitebsk, clochers et tour Eiffel, faune et flore, fiancés et mariés au baldaquin, êtres hybrides et figures ailées, tout l'univers de Chagall s'égrène au plafond de l'Opéra en hommage à la danse et à la musique. « Ses formes », comme il les appelle, sont encore là pour exprimer « cet amour tumultueux que j'ai, en général, pour l'humanité » (*Ma* vie*).

Marie-Hélène DAMPÉRAT

■ Âme de la ville (L')

Profondément choqué par la mort de Bella*, en septembre 1944, Chagall est incapable de peindre durant des mois. En 1945, il consacre plusieurs toiles à la mémoire de sa femme (*Les Lumières du mariage, Autour d'Elle*). Dans *L'Âme de la ville*, l'artiste exprime sa propre impuissance à peindre : son visage dédoublé est écartelé entre des forces contraires, entre désespoir et prière. Toute la composition tend à inscrire l'histoire personnelle du peintre dans l'histoire collective du peuple juif dont la souffrance est symbolisée par la crucifixion*. Chagall, inquiet, se tourne vers les emblèmes du judaïsme*, le chandelier, les Tables de la Loi, l'Arche Sainte, et les images de son monde intérieur, le coq*, l'âne, le village. Tout cet univers est plongé dans la nuit ; seule la robe blanche et serpentine de la disparue éclaire l'espace austère de la toile. Le peintre offre un douloureux et poignant contrepoint au triomphal *Autoportrait* aux sept doigts (1912-1913). La guerre est finie et Chagall débute magistralement les quarante dernières années de sa création. MHD et SF

■ Amérique : l'exil

Grâce aux efforts de l'Emergency Rescue Committee et à ceux du consul des États-Unis à Marseille, Harry Bingham, Chagall pourra échapper aux rafles d'avril 1941.

C'est à la suite d'un long périple par l'Espagne et le Portugal que Chagall et Bella*, depuis le Midi de la France, arrivent à New York, le 23 juin 1941. Plus d'une tonne de toiles et de dessins les accompagnent. New York est alors un lieu magique d'effervescence intellectuelle dont l'atmosphère rappelle au peintre le Berlin* qu'il a connu vingt ans auparavant. Il y retrouve Léger*, Masson, Breton, Jacques et Raïssa Maritain et Pierre Matisse*, qui deviendra son marchand. Très rapidement, d'ailleurs, il se met au travail, et rencontre l'intérêt des grands collectionneurs américains, les Bliss, Guggenheim, Stern qui contribueront aux acquisitions majeures du Museum of Modern Art ou du Guggenheim Museum.

Fécond sur le plan plastique, le séjour américain, de 1941 à

Le Traîneau, 1943. Gouache sur papier 51 × 76. Bâle, coll. part.

1946, fut aussi douloureux. Les désastres de la guerre, le souvenir lancinant de la terre natale constituent les sujets privilégiés de cette période. Cependant, Chagall renoue, à l'occasion de sa collaboration avec le chorégraphe Massine et le compositeur Stravinsky, avec la culture russe et le travail pour la scène – il crée en effet les décors et les costumes d'*Aleko* et de *L'Oiseau de Feu* – (voir théâtre). Mais, le 2 septembre 1944, le tissu même de sa vie et de son œuvre semble se déchirer, à la douleur immense de la mort de Bella*, l'épouse bien-aimée. SF

■ À LA RUSSIE,
AUX ÂNES
ET AUX AUTRES

Exposée au Salon* des Indépendants de 1912, sous le titre *La Tante au ciel,* cette peinture reste une des premières grandes compositions de Chagall. Elle s'élabore durant cette période parisienne où se forme la conception singulière du peintre, cet art « insensé » qui rompt avec tout naturalisme, et vise cette explosion lyrique totale dont parlera André Breton. Deux études préparatoires témoignent de la lente maturation d'une œuvre majeure qui recevra son intitulé définitif du poète Blaise Cendrars* et s'enrichit des trouvailles plastiques du fauvisme* et du cubisme*. Le thème lui-même est emprunté à une série de scènes paysannes réalisées en 1910 et 1911, où la présence d'un animal (voir Bestiaire), chèvre ou vache, s'associe au paysage rural russe. Mais, ici, le peintre accède à un langage symbolique très élaboré.

La force suggestive de l'image chagallienne se construit avec rigueur sur des éléments visuels précis, la vache, le saut, le toit des maisons, le bulbe de l'église, empruntés au vécu quotidien. Ils surgissent de la mémoire et réinventent la présence vivante de la cité mère, Vitebsk*. Dans l'espace nocturne* de la toile flotte la silhouette fantomatique d'une laitière céleste, dont le corps et la tête sont séparés. Cette figure aérienne contraste avec la vache nourricière qui lui fait face. De cette alliance naît une poésie mystérieuse servie par les incandescences chromatiques qui irradient l'œuvre : verts acides, noirs profonds traversés de rouges, apaisés de bleus, et illuminés de blancheurs lactées. Des éléments géométriques structurent la composition, telle l'ordonnance des toits, qui libère l'espace où se déploie la figure féminine. Le thème nourricier – thème récurrent dans l'œuvre – trouve une de ses expressions les plus achevées et les plus significatives de cette rêverie des origines constitutive de l'imaginaire chagallien. Le tableau qui enthousiasmera Apollinaire* sera présenté à Berlin* à la galerie Der Sturm, en 1914, lors de la première exposition monographique consacrée au peintre. SF

À la Russie, aux ânes et aux autres
1911. H/t 157 × 122.
Paris, musée national d'Art moderne
(donation Chagall 1949).

Les Amoureux
en rose, 1916.
H/c 69 × 55.
Saint-Pétersbourg,
coll. Eugénia T.
Tchounovskaya.

■ Amoureux et fiancés : symbolisme érotique

Les amoureux sans cesse reviennent dans l'œuvre de Chagall. De l'élan dionysiaque de *Dédié à ma fiancée* aux tendresses du *Cantique des Cantiques*, le thème est étroitement lié à l'amour que le peintre porte à Bella*, puis à Vava*, sa seconde femme. L'artiste fait de son bonheur personnel le fragment d'une histoire universelle. Marc et Bella sont les amoureux en bleu, en vert, en rose (1914-1915), absorbés dans leur monde coloré et unis par de tendres baisers. À partir de *L'Anniversaire* de 1915, le couple défie les lois de la gravitation (voir Apesanteur) et s'envole, euphorique, *Au*-dessus de la ville*. Le romantisme cède à l'ivresse, à l'allégresse. Les fiancés sont aussi de petits personnages anonymes qui peuplent, comme les juifs ou les anges*, l'univers chagallien. Ils

se serrent, apeurés aux temps de la guerre, puis se perdent dans le jardin d'Éden, la parade des saltimbanques ou les éclats du plafond de l'Opéra* de Paris. Dans une vision toute panthéiste, ils sont associés à la flore et à la faune. Le coq*, l'âne, la vache s'accordent à leurs étreintes. Ce bestiaire* matérialise amours et désirs. Ainsi le personnage à tête de taureau de *Dédié à ma fiancée* traduit l'attraction érotique des amants, qui sont aussi liés par le fil d'un souffle spirituel. Car leur amour est une parcelle du divin. Les amoureux s'enlacent et se confondent pour ne plus former qu'un, comme Adam et Ève fusionnent dans l'*Hommage* à Apollinaire*. Chagall tend à rétablir, selon les doctrines théosophiques de la Kabbale (voir Judaïsme), l'unité mystique de Dieu et de la Création, rompue après la Chute. MHD

■ Ange

Dans le répertoire des figures chagalliennes, celle de l'ange reste fondamentale. Elle renvoie au texte de *Ma* vie* qui en souligne la fonction onirique et la définit comme apparition*. Souvent associée au thème de l'envol, elle assume une multi-

Étude pour
*L'Ange
à la palette*, 1928.
H/t 40 × 31,5.
Bâle,
coll. Piet Meyer.

Introduction au théâtre d'Art juif, (détail), 1920. Moscou, galerie Trétiakov.

plicité de sens. Médiatrice par excellence entre le monde terrestre et le monde céleste, elle est messagère, annonciatrice, et s'inscrit en cela dans la tradition interprétative de la culture judéo-chrétienne (voir Judaïsme). On la retrouve en particulier dans le cycle du *Message* biblique* comme significatrice de la présence divine et de son mystère. Ainsi de la rencontre d'*Abraham et des trois anges* (Nice), de *La Création de l'Homme* ou du *Sacrifice d'Isaac*. Mais chez Chagall, elle désigne aussi cette folie de l'absolu inscrite au plus profond de l'âme humaine. L'image de l'ange renvoie alors à une dimension verticale, lisible au cœur du tableau, celle de la transcendance qui appelle et repousse. Au thème du vol répond celui de la chute. Si *L'Apparition* (Saint-Pétersbourg) ou *L'Ange à la palette* (Bâle) relate l'irrésistible force d'une vocation, celle de peindre, *La Chute d'Icare* (MNAM) ou *La Chute de l'Ange* affirme en contrepoint l'éternité du mythe prométhéen. Pour toute créature, la quête créatrice peut être mortelle. SF

◼ Apesanteur

Dès *Le Violoniste assis* de 1908, l'univers de Chagall s'éloigne des lois de la gravitation. À Paris, l'onirisme des toiles s'accentue. Fermière et poète perdent la tête qui chavire et tournoie. Le retour aux réalités de Vitebsk*, après 1914, n'entrave pas l'envol des personnages. Le juif errant enjambe la ville, Chagall et Bella* s'élancent dans l'espace trop étroit de leur chambre. À partir des années trente, l'artiste multiplie et éparpille les motifs. Ces signes s'inscrivent sur le fond immatériel des couleurs* et la rythmique des lignes. Anges*, acrobates, amoureux*, animaux (voir Bestiaire) et objets, tous sont dégagés de l'espace orienté des perspectives naturalistes. Loin du réel, ils lévitent. Ni haut, ni bas, ni endroit, ni envers, Chagall tente d'élaborer un nouvel espace plastique et psychique. Il révèle, pour reprendre l'expression de Claude Estéban, « sous le masque du quotidien, un pouvoir insoupçonné de surprise, une énergie sans fin ». L'inconscient et le rêve, l'ivresse et l'amour, l'inspiration et le religieux s'accordent dans le merveilleux* de l'apesanteur. Le peintre s'envole « vers un autre monde » qui se joue de la finitude et de la mort. MHD

■ Apollinaire (Guillaume)

Quand Chagall arrive à Paris à l'automne 1910, Guillaume Apollinaire est un poète reconnu et un critique d'art engagé. Il collabore à *La Plume*, à *L'Intransigeant*, au *Petit Bleu* où il tient la rubrique des arts. Ses articles le désignent comme le défenseur des nouvelles formes plastiques initiées par Picasso et Braque. Ami de ces derniers, familier de Robert et Sonia Delaunay*, il est l'un des premiers théoriciens du cubisme*, et publiera en 1913 *Méditations esthétiques*, recueil des chroniques d'art rédigées de 1908 à 1912 consacrées aux peintres nouveaux, Picasso, Braque, Metzinger, Gleizes, Marie Laurencin, Gris, Léger*, Picabia et Duchamp.

Pour Apollinaire, 1911. Crayon sur papier 33,5 × 26. Paris, musée national d'Art moderne (dation 1988).

Le poète, ce « Zeus doux » selon les termes de Chagall, rencontre le peintre à La Ruche, probablement à l'automne 1912. Il le soutiendra en le qualifiant son travail de « surnaturel* » et en lui présentant Herwarth Walden. Celui-ci est déjà le marchand de Delaunay quand il sollicite Chagall pour une première exposition réalisée à Berlin* à l'automne 1914. SF

■ Apparition (L')

Le texte de *Ma vie* permet de situer l'œuvre dans la problématique chagallienne. La force du souvenir est en effet à l'origine directe du tableau.

Comme le récit poétique ou prophétique, la peinture est une vision. L'envol de l'imaginaire trouve sa forme la plus radieuse en cet ange* majestueux qui envahit l'espace intérieur de la toile.

Le bras levé, en geste d'annonce, la figure traitée en modulations de blanc et de bleu a le mystère des peintures primitives ; qu'annonce-t-il sinon l'éclatante vérité de la peinture elle-même ? À la différence du récit, en effet, l'artiste n'est pas assis sur le lit mais devant le chevalet. L'ange annonciateur est bien celui qui confirme un destin. Chagall sera peintre ; il *est* peintre. La dimension onirique et prémonitoire d'une vocation trouve ici une expression picturale éclatante.

La toile, de format presque carré, comme *La Promenade*, fait la démonstration d'une maîtrise plastique exceptionnelle. Les figures du peintre et de l'ange s'opposent deux à deux au sein d'un espace organisé en quatre zones triangulaires. Au centre, la lumière

« ... *Un frou-frou*
d'ailes traînées.
Je pense : un ange !
Je ne peux pas ouvrir les
yeux, il fait trop clair,
trop lumineux.
Après avoir fureté partout,
il s'élève et passe par la
fente du plafond, empor-
tant avec lui toute la
lumière et l'air bleu.
De nouveau, il fait
sombre. Je m'éveille.
[...] L' **Apparition** *évoque*
ce rêve. » *Ma vie,* 1931.

L'Apparition,
1917-1918.
H/t 157 × 140.
Saint-Pétersbourg,
coll. Zinaïda
Gordaeva.

éblouissante qui semble rejeter en des lointains les objets quotidiens, table, miroir, chaise... De part et d'autre du point de fuite central, créant la profondeur, un rude cloisonnement de couleur*. La fermeté de la construction spatiale, l'économie chromatique attestent d'un savoir pictural exceptionnel.

La rêverie n'est pas formulation arbitraire ou anarchique. Chagall vise la construction d'un espace psychique ; la représentation plastique obéit alors à une syntaxe des signes qui traduit avec précision les lois de l'imaginaire. SF

Marc Chagall
à Vence, 1956.
Photographie de
Kurt Blum.

■ Après 1948

Réfugié depuis 1941 à New York (voir Amérique), Chagall rentre définitivement en France en août 1948. Le peintre s'installe au printemps 1950 dans sa villa « La Colline » à Vence*, et se remarie en 1952 avec Valentina Brodsky, surnommée Vava*. Alors commence la dernière partie de sa carrière qui sera particulièrement productive. Chagall peint de nombreux tableaux intimistes, scellant son nouveau bonheur. Il exécute également de grandes compositions. *La Vie*, réalisée en 1964 pour la Fondation Maeght, constitue une véritable synthèse des symboles de son monde intérieur. Sous la lumière méditerranéenne, les couleurs* s'intensifient, irradient les costumes des saltimbanques et les fleurs des bouquets*. À partir de 1950, Chagall produit un impressionnant travail lithographique. Mais il est surtout accaparé par de prestigieuses commandes internationales ; il décore le foyer du théâtre* de Francfort, le Metropolitan Opera* de New York et bien sûr le nouveau plafond de l'Opéra de Paris, inauguré en 1964. Son association, toujours plus grande, à l'architecture le pousse à expérimenter de nouvelles techniques comme la céramique*, la tapisserie, la mosaïque*… Sans oublier les vitraux*, ceux de Metz, de Reims, de Jérusalem. Profondément marqué par la découverte de la Grèce (1952), l'artiste s'intéresse davantage à la mythologie dans son œuvre tardive. Il illustre l'*Odyssée* et compose pour la faculté de Nice *Le Message d'Ulysse*, où la sagesse triomphe de toutes les vicissitudes. L'inspiration religieuse reste cependant au centre de son œuvre. Il lègue à l'État français le cycle du *Message* *biblique* qu'il considérait comme son testament spirituel et artistique. MHD

■ ARAGON (LOUIS)
« Le miracle de Chagall, c'est qu'il désapprend »

Chagall et Aragon sont, tout à la fois, étrangement contraires et proches. Le poète fait ses premières armes dans la mouvance du surréalisme, tandis que le peintre, reconnu par Breton comme un initiateur du mouvement, décline l'invitation du groupe. Le Français s'enflamme pour l'édification du socialisme en Union soviétique, il rencontre Elsa Triolet, belle-sœur de Maïakovski*, milite au Parti communiste et ferme les yeux sur le stalinisme. Le Russe, qui a pleinement vécu les espoirs de la Révolution* de 1917, choisit l'exil au début des années vingt. Le peintre et le poète n'évoquent pas la même Russie, s'agissant de la Vitebsk* juive ou de l'Oural communiste, mais elle est pour tous deux source d'inspiration, comme la France à laquelle ils rendent de vibrants hommages. Et quand Chagall peint le bonheur auprès de Bella* ou de Vava*, Aragon chante l'amour d'Elsa. Le peintre transcende les dualités dans un monde surnaturel*, le poète se joue des contradictions dans les méandres de la langue. Loin, ils sont près. Plus près encore dans leur vieillesse qui semble les délivrer des contingences. En 1977, Chagall illustre de vingt-cinq eaux-fortes colorées *Celui qui dit les choses sans rien dire*, publié par Adrien Maeght. Amoureux*, fleurs (voir Bouquets) et animaux (voir Bestiaire) s'accordent naturellement aux vers d'Aragon. « Et sans doute jamais personne ainsi n'a inondé mes yeux de lumière, qui pourtant ait toujours si divinement sur moi fait régner la nuit ». MHD

Planche pour un poème d'Aragon *Celui qui dit les choses sans rien dire*. Gravure 47 × 36, Paris, éd. Maeght, 1976.

« Le miracle de Chagall, c'est qu'il désapprend : plus rien n'était grâce à lui forcément à sa place, on allait se coucher dans le ciel, la taille des bonshommes ne dépendait plus de la distance, les animaux jouaient du violon, une fois pour toutes, l'ordre des facteurs était renversé, comme à la fin d'un banquet perpétuel. »Trente toiles de Marc Chagall, 1968.

Au-dessus de la ville

1914-1918. H/t 141 × 198. Moscou, galerie Trétiakov.

de l'Académie de peinture. Durant l'hiver 1917-1918, il exécute de grandes compositions célébrant le bonheur de sa récente union comme *La Promenade* ou le *Double* portrait au verre de vin* (MNAM) ... Chagall peint deux versions, presque identiques, d'*Au-dessus de la ville*. Le couple enlacé traverse le ciel. L'apesanteur* vient traduire l'euphorie des jeunes mariés. L'artiste a simplifié le symbolisme qui prévalait dans les œuvres d'avant-guerre, pour une image, toujours onirique, mais plus directement lisible, plus « naturaliste ». Vitebsk, clairement reconnaissable, apparaît dans la partie inférieure de la toile. Un premier plan, délimité par des clôtures, creuse la perspective et souligne le système des horizontales, qu'accentue encore l'envol des amoureux*. Chagall insiste sur le volume élémentaire des maisons et des toitures ; il sculpte la robe de Bella par le contraste de l'ombre et de la lumière. Fermement structurée, plus métallique, la toile de la galerie Trétiakov porte davantage le souvenir des leçons du cubisme*. Dans la version de la galerie Beyeler, les lignes s'assouplissent, la matière s'épaissit. Au sol, les tonalités chaudes dominent alors qu'au ciel les époux sont vêtus de tons froids, vert et bleu, couleurs de l'éloignement et du rêve. La main de la jeune femme, tendue et ouverte en signe d'allégresse, semble donner à l'envol toute son ampleur. Le bulbe d'une église domine discrètement la ville, mais durant la période russe, le religieux cède la place à des sujets plus romanesques. Il ne faut toutefois pas oublier que pour Chagall, l'amour est aussi expression du divin. MHD

Rentré de Paris, en juin 1914, pour quelques mois, Chagall est contraint par la première guerre mondiale à demeurer en Russie. Le 25 juillet 1915, l'artiste épouse Bella*, rencontrée six ans plus tôt. Il participe avec enthousiasme à la Révolution* de 1917. Les juifs sont particulièrement sensibles au vent de liberté qui souffle sur le pays et les délivre des mesures discriminatoires du régime tsariste. Après les événements d'Octobre, l'artiste rentre à Vitebsk* où il est nommé directeur

■ Autoportrait aux sept doigts

À l'exemple de Rembrandt*, son illustre modèle, Chagall s'observera dans sa pratique de peintre, toute sa vie. L'autoportrait, en effet, relève d'une longue tradition picturale qui permet d'exprimer l'interrogation essentielle que tout créateur porte vis-à-vis de sa propre création : qu'en est-il de la peinture ? Qu'en est-il du peintre ? L'*Autoportrait aux sept doigts* s'inscrit avec éclat dans cette longue suite d'œuvres, qui, depuis le premier autoportrait de 1907 jusqu'à la dernière

Autoportrait aux sept doigts, 1912-1913. H/t 128,1 × 107. Amsterdam, en prêt au Stedelijk Museum.

lithographie de 1985, *Vers l'autre clarté*, illustre le mystère vécu de la création. Composée comme une icône, le tableau en a la force expressive. Le peintre est reconnaissable à ses attributs, la palette, le chevalet, l'œuvre en train de naître où on reconnaît *À* la Russie, aux ânes et aux autres (MNAM). La figure est monumentale, construite par plans contrastés, sur un axe frontal. Au sommet, de part et d'autre du visage, absorbé dans une contemplation intérieure, deux motifs, qui sont deux signes référents : Paris, identifié à la tour* Eiffel,

Vitebsk*, identifié au bulbe de sa cathédrale. Ces lambeaux de paysages sont réduits à l'essentiel. Ils surgissent de la mémoire et mêlent les catégories temporelles du passé et du présent. L'emplacement même de ces deux fenêtres ouvertes dans l'espace intérieur de la toile illustre leur fonction emblématique. SF

■ Avant 1914

Né le 7 juillet 1887, Marc Chagall grandit au sein de la communauté hassidique (voir Judaïsme) de Vitebsk*. L'inspiration poétique du peintre, son goût du merveilleux* dérivent de cette spiritualité première qui tend à reconnaître en toute chose la présence du divin. Malgré l'interdit de la représentation, Chagall choisit d'être peintre et commence sa formation chez Jehouda Pen. Au printemps 1907, il décide de poursuivre son apprentissage à Saint-Pétersbourg*.

D'abord inscrit à l'école fondée par la Société impériale pour la protection des Beaux-Arts, il entre ensuite dans l'atelier de Léon Bakst* qui initie ses élèves aux différents courants de la peinture moderne.

Chagall découvre alors l'avant-garde russe, la stylisation colorée et l'inspiration populaire de Larionov et Natalia Gontcharova. Selon une expressivité très personnelle, le jeune artiste transpose déjà les anecdotes réalistes de son enfance dans un monde étrange et onirique. Malgré son amour pour Bella*, rencontrée en 1909, Chagall décide de se rendre à Paris*. Il s'installe à Montparnasse en août 1910. Dans un premier temps, le fauvisme* l'engage à intensifier sa gamme chromatique. Puis, sous l'impact du cubisme*, il aplanit l'espace, simplifie formes et volumes, sans toutefois exclure la couleur*. Il expose au Salon d'Automne de 1912 aux côtés des artistes de la Section d'or, mais il est surtout proche de Robert Delaunay* par la dynamique des formes et le jeu des contrastes colorés. Les symboles de la culture hassidique, le

Marc Chagall, 1910.

monde de Vitebsk et l'amour de Bella, que l'éloignement rend inaccessibles, peuplent ses œuvres. En avril 1914, Chagall se rend à Berlin* pour l'inauguration de l'exposition que lui consacre Herwarth Walden. L'artiste pousse le voyage jusqu'à Vitebsk. Arrivé en juin 1914, il ne pense rester que trois mois, mais la première guerre mondiale bouleverse ses projets. Il ne quittera la Russie qu'en 1922. MHD

Léon Bakst, 1910.

Bella au col blanc, 1917.
H/t 149 × 72.
Paris,
musée national
d'Art moderne
(dation 1988).

■ Bakst (Léon), professeur d'art moderne

En 1907, Chagall quitte Vitesbk* pour Saint-Pétersbourg. Le jeune provincial vient chercher dans la capitale artistique et intellectuelle de la Russie impériale la nourriture formelle qui lui manquait jusqu'alors. Il se présente à l'examen d'entrée à l'école des Arts et Métiers du baron Stéglitz. Il y échoue, mais intègre celle fondée par la Société impériale pour la protection des Beaux-Arts, alors dirigée par Nicolas Roerich, qu'il quitte rapidement. La rencontre de son premier mécène, l'avocat Goldberg, dont il représentera *Le Salon* daté de 1908, puis du député à la Douma Max Vinaver, va lui ouvrir les portes de l'école Zvantseva, dirigée par Léon Bakst (Léon Rosenberg, 1866-1924). L'école apporte aux jeunes peintres russes les moyens techniques d'une expression contemporaine qui leur faisait défaut. Bakst était très connu par son appartenance au groupe Mir Irkoustvo et sa collaboration avec Serge Diaghilev. Portraitiste mondain, il est aussi décorateur, illustrateur et surtout créateur de décors et costumes pour le théâtre et le ballet. Auprès de Bakst, Chagall découvre l'esthétique symboliste proche du Jugendstil européen, mais surtout une liberté de peindre qui lui permet d'affirmer sa maîtrise de coloriste. SF

■ Bella

En automne 1909, Chagall rencontre Bella Rosenfeld, immortalisée dans un premier portrait, *La Fiancée aux gants noirs*. Bella est la fille d'un riche négociant de Vitebsk* ; elle fait des études d'histoire et de philosophie à Moscou. Durant son séjour solitaire à Paris, l'artiste est hanté par son souvenir que la peinture exorcise *(Dédié à ma fiancée)*. Leur union est célébrée le 25 juillet 1915 à Vitebsk. La petite Ida naît l'année suivante. Le couple (voir Amoureux) est alors un des sujets de prédilection du peintre *(Au*-dessus de la ville, Double* portrait au verre de vin)*. Bella présente à son mari de nombreux intellectuels russes comme le poète Maïakovski* ou le collectionneur Kajan-Chabchaj. Elle lui fait également partager sa passion pour le théâtre*. En 1923, les Chagall s'installent en France. Bella reste au centre de l'œuvre de son époux comme en témoignent de nombreux portraits, ainsi que les amoureux, mariés et accouchées qui gravitent dans ses toiles. À partir de 1935, elle rédige ses mémoires *(Lumières allumées)* qui marquent son attachement à la culture judaïque. Bella meurt à Cransberry Lake le 2 septembre 1944. MHD

■ BERLIN COSMOPOLITE
« Une sorte de caravansérail » (Chagall)

C'est à Berlin qu'a lieu en mai 1914 la première exposition personnelle de Chagall, organisée par Herwarth Walden (dont le nom figure dans *Hommage à Apollinaire**) à la galerie Der Sturm. Des œuvres du peintre russe avaient déjà été présentées

Couverture de
Der Sturm-Bilderbücher,
Berlin, septembre
1923.

dans la revue du même nom et, en 1913, dans cette galerie, à l'occasion du Premier Salon d'Automne allemand, manifestation destinée à rassembler l'ensemble du modernisme européen né du fauvisme* et du cubisme*. En route pour la Russie, Chagall séjourne alors quelques semaines dans la capitale allemande. La barrière de la langue l'empêche de véritablement rencontrer les jeunes artistes expressionnistes, dont il suscite pourtant l'intérêt comme en témoigne le poème « À un dessin de Marc Chagall » que lui dédie Kurt Schwitters. Chagall, fuyant la Russie, séjourne de nouveau à Berlin de l'été 1922 à l'automne 1923, avant de regagner Paris. Il cherche en vain à y retrouver les tableaux laissés en dépôt, y réalise des gravures* pour le marchand Cassirer, et participe surtout à la Première exposition d'art russe, qui fait découvrir les œuvres nées pendant la révolution* d'Octobre. Plus encore qu'avant-guerre, Berlin est alors ce centre cosmopolite où coexistent toutes les tendances avant-gardistes, que Chagall décrira en 1958 comme « une sorte de caravansérail où se rencontraient tous ceux qui allaient et venaient entre Moscou et l'Occident », une ville où l'on « avait l'impression de vivre en plein rêve, parfois en plein cauchemar ». EC

*Les Mariés
de la tour Eiffel*
(détail), 1938-
1939. Paris,
musée national
d'Art moderne.

■ Bestiaire

La vache, le taureau, l'âne, le cheval, la chèvre, le coq* et le poisson sont les animaux les plus significatifs de l'univers de Chagall. Ils viennent du monde de Vitebsk* et renferment, selon la spiritualité hassidique (voir Judaïsme), une parcelle du divin.

Intégrés dans un premier temps à la scène représentée, l'artiste leur confère une dimension plus symbolique à partir de 1911. Dans *À* la Russie, aux ânes et aux autres* (Paris, MNAM), la vache apparaît comme une mère nourricière. Mais elle est aussi la patrie sécurisante et la tendre amante dans *Moi et le village*.

Mélangeant volontiers les espèces, Chagall crée également des êtres hybrides. Les hommes à têtes d'animaux, que l'on rencontre dans l'iconographie

יהוה

judaïque, soulignent la part inconsciente des individus comme dans *Dédié à ma fiancée*, où le personnage à tête de taureau traduit un érotisme fougueux.

Après la première guerre, le cheval, l'âne ou le coq, symboles de virilité, enlèvent de belles cavalières dans un monde de rêve. En ces temps heureux, ils partagent le bonheur des amoureux*. Mais dans les années trente-quarante, les animaux sont aussi les innocentes victimes de la guerre. Ils gravitent autour des crucifixions* et pleurent les synagogues* en flammes dans un monde désormais livré à la nuit. À la fin de sa carrière,

Noé reçoit l'ordre de construire l'arche, 1930. Gouache 58 × 48. Nice, musée national Message biblique Marc Chagall.

Chagall adapte son bestiaire aux œuvres monumentales, des vitraux* des cathédrales aux plafonds des opéras*. Musicien ou acrobate, aérien et méditatif, l'animal est le compagnon inséparable de l'homme, dans cette vision sacrée que Chagall donne de la vie. MHD

■ Bible

Le monde de la Bible, est, pour Chagall, un monde familier. Son éducation religieuse intègre en effet, dans la réalité quotidienne, l'immémoriale histoire du Peuple élu. Pour toute famille juive de stricte observance, comme l'était celle de Chagall, les figures des Patriarches, des Rois et des

Prophètes sont présentes dans chaque geste. Elles ont nourri l'imaginaire de l'enfance jusqu'à s'incarner dans le mendiant qui passe ou le rabbin qui prie. La Bible « rêvée », selon les termes employés par l'artiste, est à la source de cette part de l'œuvre qui puise à l'infinie richesse de la tradition juive rythmée par le temps de la prière, du sabbat ou de la fête. Une commande de Vollard* conduira cependant l'artiste à la véritable confrontation avec le texte biblique. En 1930, satisfait du travail conduit pour Les *Fables* de La Fontaine (voir Gravures), le marchand parisien demande à Chagall l'illustration d'un nouvel ouvrage. Chagall choisit la Bible, et part en Palestine accompagné de sa femme et de sa fille.

La découverte de la lumière et du paysage d'Israël fut pour le peintre une expérience bouleversante, tant sur le plan plastique que sur le plan spirituel. La série des quarante gouaches réalisées de 1930 à 1932 témoigne de l'émotion éprouvée. Elles marquent également une rupture avec les figures antérieures issues du monde judéo-russe. Préparées par un long travail sur le motif, lieu, paysage, architecture, elles mettent en scène les épisodes successifs du récit biblique. Le choix des thèmes narratifs emprunte directement au texte de la Genèse et du Pentateuque tandis que les personnages revêtent un caractère oriental. Les gouaches vont permettre la réalisation ultérieure des cent cinq planches gravées à l'eauforte et à la pointe-sèche qui constitueront l'illustration de *La Bible*. En 1939, soixante-six planches sortent des ateliers de

l'imprimeur Potin. Après la seconde guerre mondiale qui interrompt le travail d'impression, Haasen reprend les trente-neuf dernières planches qui seront terminées en 1956. Tériade, successeur de Vollard, peut enfin publier l'ouvrage dans la version textuelle éditée à Genève en 1638. SF

■ Bouquets et fleurs

À ses débuts, Chagall donne peu de place à la nature. La riche symbolique du premier séjour parisien semble éloignée de toute réalité. En revanche, dans les années 1914-1917, les toiles consacrées au monde de Vitebsk* laissent apparaître les arbres et les prés, semés de clô-

L'Hortensia blanc, 1928. H/t 81 × 65,5. Coll. part.

tures. Déjà des bouquets, comme les magnifiques *Muguets* de la galerie Trétiakov, fleurissent les intérieurs ; des feuilles poussent, en couronne, aux fronts des fiancés. Rentré en France en 1923, le peintre découvre la campagne française. Il est émerveillé par les paysages de Bretagne, de Normandie, d'Auvergne et de la Méditerranée. Fleurs, bosquets, tendres et mousseux, sont associés au monde heureux des animaux (voir Bestiaire), des amoureux* et des saltimbanques.

Mais c'est dans l'œuvre tardive que la flore connaît son plus grand épanouissement. Saint-Jeannet, Vence*, Saint-Paul et la Grèce offrent à l'artiste un capital de lumières et de couleurs* que traduit le jaillissement de la nature. Chagall exprime, en de somptueux bouquets, sa joie retrouvée au côté de Vava*, son amour de la vie. Il sacralise le végétal dans la symphonie colorée du jardin d'Éden ou le feuillage embrasé du Buisson ardent. MHD

■ Cendrars (Blaise)

C'est en juillet 1912 que le jeune Freddy Sauser (1887-1961) arrive à Paris ; il vient de signer son recueil de poèmes, *Les Pâques à New York*, rédigé en terre américaine, de son nouveau nom, Blaise Cendrars. Il a vingt-cinq ans, cherche à joindre Guillaume Apollinaire* et se prépare à la vie ardente de l'avant-garde parisienne. À l'automne, Cendrars rencontre Marc Chagall qui vient d'emménager à La Ruche. Le peintre et le poète se reconnaissent en un même amour de la terre et de la langue russe. Une profonde affinité élective lie les deux artistes et une même

Blaise Cendrars,
à l'époque (?)
de son voyage
en Russie,
1904-1907.

« *Je pressentais
la venue du grand
Christ rouge
de la révolution russe* »

*Prose du Transsibérien
et de la Petite Jeanne de France,*
1913.

conception de l'art. Chagall n'est-il pas, d'une certaine façon, un poète œuvrant avec l'image comme Cendrars avec le mot ? L'analogie est telle qu'elle conduit ce dernier à donner aux toiles du peintre ces titres qui les identifieront désormais : *À* * la Russie, aux ânes et aux autres* (MNAM), *Moi et le village, Le Saint voiturier, Dédié à ma fiancée...* « Portrait » et « Atelier », deux des dix-neuf *Poèmes élastiques* écrits en 1913, seront d'ailleurs dédiés à Chagall. SF

■ Céramiques

En 1950, Chagall s'installe dans le Midi et exécute ses premières céramiques. Comme Picasso, il travaille essentiellement à Vallauris, dans l'atelier Madoura dirigé par Georges et Suzanne Ramié. L'artiste façonne lui-même l'argile, selon sa

fantaisie. Il crée des pièces qui sont de véritables sculptures*. Le vase prend la forme d'une femme, d'un coq* ou figure une scène, plus complexe encore, évoquant l'étreinte des amoureux*. Dans *Le Paysan au puits*, le bras de la femme dessinée sur le col forme l'anse de ce curieux pichet et le personnage masculin, qui se détache en haut-relief de la panse, en constitue le bec. Plus couramment, Chagall décore des plats, reprenant les sujets qui lui sont chers. Paysages de Grèce ou de Vence*, fleurs (voir Bouquets) et amants sont l'expression méditerranéenne du bonheur retrouvé. De nombreux motifs empruntent également à l'Ancien Testament. Désireux d'associer son travail à l'architecture, le peintre réalise de grands panneaux de céramique, comme *La Traversée de la mer Rouge* pour l'église d'Assy. De l'objet décoratif au revêtement mural, Chagall s'adonne avec enthousiasme à cette création de la terre et du feu, où, pour reprendre les paroles de Gaston Bachelard, la peinture « dépasse la surface et s'inscrit dans la chimie de la profondeur ». MHD

L'Échelle de Jacob (plat), 1950. Terre colorée, décor sur émail blanc 28,7 × 23,3. Paris, succession Ida Chagall.

La Maison
(pichet), 1951.
Terre blanche,
décor gravé au
couteau et à la
pointe sèche,
h. 27,5. Paris,
succession
Ida Chagall.

Le Soleil
(plat), 1951.
Terre blanche,
décor gravé au
couteau, d. 37.
Bâle, coll. part.

■ CHUTE D'ICARE (LA)

L'exigence d'un message spirituel à vocation universelle, inscrit dans la peinture de Chagall, s'affirme non seulement par les grandes figures prophétiques issues de la Bible, mais aussi par celles de héros propres à la culture occidentale. Ulysse, Don Quichotte, Orphée, Icare rejoignent, dans l'esprit du peintre, Moïse, David, Isaïe et Jérémie. *La Chute d'Icare*, pendant de *Don Quichotte*, développe le thème de l'homme-oiseau, dont l'envol vers la lumière est toujours brisé. En lui donnant une dimension universelle, il renouvelle celui de *La Chute de l'Ange*, tableau terminé en 1947. Tel un météore, Icare traverse l'espace céleste brûlé de jaunes. C'est le moment de la chute. Dans un tourbillon de plumes, Icare tombe, précipité sur la place familière d'un village. Il semble tournoyer en une cabriole funambulesque. La vibration de la matière picturale, d'une exceptionnelle richesse, concourt à l'impression de vertige accentuée par le bipartisme de la composition. En haut, le vide cosmique où Icare se meut. En bas, la foule étonnée des hommes. Le mythe, ici, se déploie en un véritable spectacle, d'une grande intensité dramatique. La légèreté de la touche, fluide et nacrée, la délicatesse lumineuse des tons de gris et de blanc font aussi la démonstration d'une magistrale leçon de peinture. Un intense travail préparatoire a précédé l'exécution finale qui prendra plusieurs années. Chagall réalise le tableau, dans son atelier de Saint-Paul, à plus de quatre-vingt-huit ans. SF

La Chute d'Icare

1974-1977. H/t 213 × 198. Paris, musée national d'Art moderne (dation 1988).

Au cirque, 1976. H/t 110,2 × 122,6. Coll. part.

■ Cirque

Chagall s'est toujours intéressé au cirque qu'il apparente au « cri le plus aigu dans la recherche de l'amusement et de la joie de l'homme ». Messagers poétiques, les saltimbanques incarnent la joie et la tristesse, le merveilleux* et le tragique de la condition humaine. Le peintre leur confère un caractère universel, une dimension spirituelle et vitale, comme dans l'*Introduction au théâtre* d'Art juif.* À partir des années vingt, Chagall fréquente assidûment les chapiteaux et multiplie la représentation des gens du voyage. Il est souvent invité par Ambroise Vollard*, lui aussi passionné par le cirque. Le marchand lui propose même d'illustrer un livre sur ce thème, projet qui sera mené à bien par Tériade* en 1967. Les saltimbanques sont associés au bonheur des amoureux* et à la magie du bestiaire*. Des écuyères, abandonnées sur la croupe d'un âne ou d'un coq*, pénètrent l'univers du rêve. Le spectacle prend alors « le visage de la haute poésie ». Pendant la guerre, « les bouffons de Dieu », symboles d'innocence, partagent la douleur du Peuple élu. Ce sont « des êtres tragiquement humains qui ressemblent, pour moi, aux personnages de certaines peintures religieuses » explique Chagall. Il les représente autour des crucifixions* et les associe au message* biblique et œcuménique qu'il développe à la fin de sa vie. Clowns, jongleurs, acrobates, trapézistes, musiciens et acteurs offrent au peintre d'infinies déclinaisons chromatiques. « Je m'approche avec eux vers d'autres horizons, ils m'entraînent vers d'autres déformations psychiques que je rêve de peindre ». MHD

■ COULEUR
Espace et substance

Pour Chagall, « il y a un seul moyen d'approcher un peintre, la couleur, le primordial, c'est sa palette ». Elle est à la fois plastique et expressive. Déjà chez Pen, le jeune artiste est remarqué pour l'originalité de sa gamme chromatique, que Bakst* va lui conseiller de simplifier. Arrivé à Paris, il adopte les couleurs du fauvisme* et se détourne, comme le voulait Gauguin, de tout naturalisme. Proche de Fernand Léger* et de Robert Delaunay*, Chagall ne renonce pas à la couleur sous l'impact du cubisme*.

Durant l'entre*-deux-guerres, il libère et intensifie encore sa palette. La touche d'abord divisée, scintillante ou floconneuse, laisse place à de larges aplats colorés. Mais les toiles s'obscurcissent à l'approche de la guerre. Il faut attendre les décors éclatants, composés pour l'American Ballet Theatre (voir Amérique), pour que Chagall joue ce que Malraux* nommera « le grand jeu de la couleur ». Dans son œuvre tardive, le peintre se réfère à Venise et à Monet. La couleur est à la fois espace et substance. Elle suscite les formes, dilate les contours, absorbe les figures. L'artiste fait triompher son lyrisme coloré sur les murs et dans les verrières. MHD

■ Coqs

Comme l'ensemble du bestiaire* chagallien, le coq est ancré dans les souvenirs d'enfance de l'artiste. Animal des basses-cours, il est aussi rituellement sacrifié lors de la cérémonie de purification qui précède le Grand Pardon. Chagall le représente surtout à partir de 1928. Ses significations sont multiples. Selon les Évangiles, il annonce le triple reniement de l'apôtre Pierre. Il est parfois figuré de façon très réaliste, comme dans les illustrations des *Fables* de La Fontaine (voir G r a v u r e s) commandées par Vollard*. Le coq symbolise souvent le principe viril et apparaît comme le pendant de la vache *(La Guitare endormie)*. Il ravit de jeunes femmes consentantes *(Sur le coq)*, ou s'associe à l'envol des amoureux* *(Les Mariés* de la tour Eiffel,

Jacques Maritain, le Père Couturier et Marc Chagall à Orgeval, 1950.

MNAM*)* dont il souligne le désir, la flamme. Car l'oiseau appartient au domaine solaire. Ce géant rouge éclaire les scènes nocturnes* de la guerre qu'il déchire, non sans agressivité, comme un cri angoissé. Il est également la lumière des décors peints pour *Aleko* en 1942, le musicien bienveillant ou le jongleur, tendrement lié aux hommes. MHD

■ Couturier
(Père Marie-Alain)

C'est en 1937 que les Éditions du Cerf confient aux R é v é r e n d s Pères Régarney et Couturier, tous deux dominicains, la direction de la revue *L'Art sacré*. Cette publication a pour mission d'ouvrir les milieux catholiques traditionnels au monde de l'art moderne.

Ami de Braque, Rouault, Léger*, Picasso, Matisse*, le

Le Coq, 1947.
H/t 126 × 91.
Paris,
musée national
d'Art moderne
(dation 1988).

Père Couturier va mener un véritable combat pour un *revival* de l'art sacré. Sa réflexion est nourrie d'une profonde connaissance des mouvements et des œuvres du XXᵉ siècle. Entre 1937 et 1939, il conduit une analyse et un bilan rigoureux des commandes de l'Église en matière d'objets ou de mobilier liturgique, dénonçant sans relâche la pauvreté esthétique d'un art religieux qui emprunte encore au style sulpicien du XIXᵉ siècle.

Réfugié au Canada, puis aux États-Unis, en 1941, il retrouve les artistes qu'il aimait et qu'il sollicitera après la seconde guerre mondiale. Dès 1950, il mène un premier grand projet, celui de la chapelle d'Assy, en Haute-Savoie : construite par Novarina, elle est décorée par Matisse, Léger, Bonnard, Chagall. Ce dernier y réalise ses premiers vitraux* et sa première céramique* murale. Le Christ de l'autel, de Germaine Richier, fait scandale.

En 1951, c'est sur son impulsion que Matisse accepte de travailler à la chapelle des dominicaines de Vence, tandis que Léger réalise les vitraux d'Audincourt. SF

■ CRUCIFIXION

vec *La Chute de l'Ange* et *Révolution*, *La Crucifixion blanche* appartient au cycle des grandes compositions des années trente. L'œuvre, rappelle Franz Meyer, est la première d'une longue série inspirée par les malheurs du peuple juif et la tragique prémonition de la persécution et du martyre. Naturalisé français par un décret signé de Jean Zay, en 1937, le peintre participe au débat politique qui agite l'avant-garde artistique et intellectuelle parisienne : guerre d'Espagne, Front populaire et montée du nazisme. Un voyage en Pologne, en 1935, lui avait fait pressentir le danger des évènements historiques qui se préparaient. Aussi, le tableau réalisé peu après ce voyage avoue-t-il la profonde inquiétude du peintre. Autour de la figure du Christ éclairée d'un large faisceau de lumière blanche, et comme au sommet du Golgotha, des scènes de désolation :

La Crucifixion blanche

1938. H/t 155 × 139,7.
Chicago, The Art Institute.

un village enneigé est détruit sous les coups furieux d'une foule qui avance, drapeaux rouges déployés ; des fuyards tentent de s'échapper en barque ; une mère protège son enfant, tandis que, non loin, un vieil homme pleure. Tragédie universelle de toute humanité souffrante mais aussi et surtout tragédie singulière du peuple juif. La synagogue* qui brûle, avec à son tympan les Lions affrontés de Juda, les Livres saints, jetés à terre et incendiés, la Torah qu'un juste tente de sauver, et ce vieillard qui porte sur la poitrine une sorte de pancarte témoignent de la violence des pogroms passés et de l'holocauste à venir. Le tableau, qui a peut-être été inspiré par les événements de juin 1938, en particulier par la destruction des synagogues de Munich et de Nuremberg, a la force d'une vision. Sa composition reprend celle de l'icône. La dimension narrative est donnée par les scènes particulières qui entourent la figure centrale. Ceinte du châle rituel de prière, le talith, celle-ci est bien le douloureux symbole du martyre juif. La ménorah allumée aux pieds du crucifié, comme à son sommet le groupe où se reconnaissent rabbins et anciens d'Israël, en soulignent l'évidence. SF

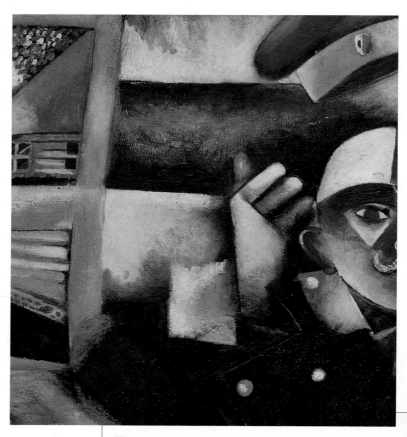

Le Soldat boit
(détail), 1911-1912.
New York,
The Solomon
R. Guggenheim
Museum.

■ CUBISME
Chagall garde ses distances

En 1908-1910, Braque et Picasso inventent un nouveau mode de représentation – nommé « cubisme » par dérision – qui cherche à révoquer tout illusionnisme et à analyser la réalité en la déconstruisant. Son amitié avec les peintres orphistes* ainsi que l'enseignement de Jean Metzinger à La Palette conduisent Chagall à en reprendre certains caractères formels.

Sans systématisme, à partir de 1912-1913, il découpe diverses formes en plans aux angles marqués et renonce au clair-obscur pour un jeu de valeurs lumineuses arbitraires. Jamais, cependant, ces formes ne perdent leur cohérence : les décompositions ne dépassent pas les contours des objets, elles y introduisent seulement une plus grande variété et une géométrisation limitée.

La façon dont l'artiste place ses figures est également un héritage du cubisme, qui a établi la possibilité de manipuler librement les signes plastiques, héritage dont témoigne le dessin *En pensant à Picasso* de 1914. EC

Le Paysage cubiste, 1918. H/t 100 × 59. Paris, musée national d'Art moderne (donation Ida Chagall 1984).

Delaunay (Robert)

Dès 1910, Robert Delaunay (1885-1941) et son épouse Sonia, d'origine russe, sont parmi les plus proches amis de Chagall, qui leur rend souvent visite rue des Grands-Augustins. Dans les années vingt, ces relations sont renouées par des invitations fréquentes et des voyages en commun. En 1924, Delaunay fait le portrait de Bella*. En 1912-1913, le peintre russe est fortement inspiré par certaines conceptions plastiques de son ami. Des toiles telles que *Paris par la fenêtre* ou *La Grande Roue* renvoient à la douceur du chromatisme de ce dernier, à sa façon de répartir les tons en facettes

Marc Chagall entre Joseph Delteil et Robert Delaunay, 1927.

délicatement contrastées, à son utilisation même de certains symboles de la modernité comme la tour* Eiffel. Mais Chagall ne se préoccupe guère de respecter les lois du « contraste simultané des couleurs », de la mise en valeur de la seule lumière, dont Delaunay fait sa doctrine. Il s'essaie plutôt à un simultanéisme symbolique des images, provoquant les reproches du peintre français, qui l'accuse « de faire de la littérature ». EC

Dessins

Le dessin est peut-être l'élément déterminant de l'écriture chagallienne. N'est-il pas d'ailleurs à l'origine de la vocation du peintre ? La sinuosité des formes plastiques, la légèreté qui préside à l'envol des figures, et cette totale liberté qui organise, en bousculant l'espace, la géométrie interne du tableau, puisent leur richesse dans une parfaite maîtrise du dessin. Très tôt, Chagall en utilise avec bonheur toutes les techniques : le crayon, parfois la plume, cerne l'idée première comme en une sorte de sténographie du geste ; l'aquarelle, ou le lavis, fait surgir du blanc du papier les volumes en masses ombreuses ; le pastel souligne, en valeurs expressives, visages ou corps ; la gouache anticipe – et très souvent expérimente – le discours pictural. Mais, si elle assume cette fonction préparatoire à l'œuvre définitive, l'œuvre gra-

Marchand de journaux, 1908-1909. Encre sur papier 16 × 21. Paris, succession Ida Chagall.

phique peut être aussi regardée dans la plénitude de sa singularité. Chagall le coloriste (voir Couleur) est, à l'évidence de ses dessins et de ses gravures, un maître du noir et du blanc. Les illustrations pour les contes de Nister, les personnages du théâtre de Sholem Aleikhem, la série d'études pour le théâtre* d'Art juif des années 1918-1920 en administrent déjà la preuve. Le dessin, s'il est parfaitement démonstratif, possède une expressivité parfois caricaturale. L'acuité du trait comme le dynamisme de la ligne soulignent chez le peintre des qualités inattendues de satiriste à la Daumier qui s'épanouiront dans le travail pour l'illustration des *Âmes mortes* (voir Gogol) ou des *Fables* de La Fontaine. SF

« *Mais chez Bernheim, place de la Madeleine,*
les vitrines sont éclairées comme pour une noce.
Voilà Van Gogh, Gauguin, Matisse. Regarde, entre et sors à ton gré.
[...] C'est au Louvre que je me sentais le plus à l'aise.
[...] Rembrandt me captivait, Chardin, Fouquet,
Géricault m'arrêtèrent plus d'une fois. »

Ma vie, 1931.

Comme dans *La Promenade* ou *Au*-dessus de la ville*, Chagall célèbre à nouveau les joies de son union avec Bella*. Depuis son retour à Vitebsk* en juin 1914, l'artiste s'est longuement consacré au thème des amoureux*. Mais les toiles de 1917-1918 prennent un caractère monumental, encore jamais égalé. Chagall apporta un soin particulier à l'exécution du *Double portrait au verre de vin*. Il réalisa plusieurs études préparatoires et des portraits naturalistes des deux personnages. Bella domine la composition. Classique et hiératique, sa représentation est proche de l'énigmatique *Bella au col blanc* (MNAM). Elle recèle une grande énergie, une force « surnaturelle » (voir Merveilleux). Marc est à califourchon sur ses épaules ; sa main posée comme un talisman sur l'œil droit de son épouse. Le peintre reprend un motif déjà utilisé à Paris, particulièrement dans *Dédié à ma fiancée* où la jeune femme se tient en équilibre sur les épaules d'un personnage à tête de taureau. Ces acrobaties annoncent les décors du théâtre* d'Art juif de Moscou et l'étonnante parade des gens du cirque*. Le couple euphorique et triomphant s'impose sur toute la hauteur de la toile et défie les lois de la pesanteur (voir Apesanteur). Au-dessus de la sombre Vitebsk, les mariés participent du céleste et reçoivent la bénédiction d'un ange* de l'Annonciation. Franz Meyer y voit l'image de la petite Ida, née l'année précédente, venant couronner l'amour des époux. Cette étrange apparition violette, qui ne

Double portrait au verre de vin

1917-1918. H/t 233 × 136.
Paris, musée national
d'Art moderne
(donation Chagall 1949).

figure pas dans les études préparatoires, est une adjonction tardive. Comme l'éventail, elle vient équilibrer l'éclat du bas mauve que Bella affiche avec provocation sous sa robe blanche d'épousée. Quant à l'artiste, sa veste sang est assortie au divin nectar. Il tend son verre, plus enivré d'amour que d'alcool. Le dessin* et le modelé demeurent cassants mais les principes cubistes sont ici très assagis. Aux rigueurs du cubisme*, Chagall préfère l'envol sensuel et dionysiaque des couleurs. Cette toile resta la propriété personnelle de l'artiste jusqu'en 1947, date à laquelle il en fit don au musée national d'Art moderne. MHD

■ Entre-deux-guerres

La guerre a surpris Chagall de retour à Vitebsk*, elle se termine donc pour lui en 1917 avec la révolution* russe. Son ami Lounatcharski, ministre de la Culture et des Arts, le nomme commissaire aux Beaux-Arts et directeur de l'Académie de peinture de Vitebsk, fondée en 1919. Il est alors confronté à Malévitch. Bien que ses œuvres se simplifient au contact du constructivisme, Chagall n'est pas prêt à renoncer à la force poétique de la représentation, il s'oppose au suprématisme* et démissionne de ses fonctions. Installé à Moscou en novembre 1920, il décore la salle du théâtre* d'Art Juif, et crée les décors et les costumes des *Miniatures* de Sholem Aleikhem pour le spectacle inaugural. Pour la première fois, l'artiste peut donner à son travail une échelle monumentale. Cependant, son influence sur la scène artistique fléchit, il s'éloigne du pouvoir politique et quitte la Russie en 1922. Après une année difficile passée en Allemagne, les Chagall arrivent à Paris le 1er septembre 1923. Leur situation est alors

Le Soldat boit,
1911-1912.
H/t, 109 × 94,5.
New York,
The Solomon
R. Guggenheim
Museum.

■ EXPRESSIONNISME : « L'art primitif possédant déjà la perfection technique » (Chagall)

La relation de Chagall à l'expressionnisme est semblable à celle de beaucoup d'artistes européens de la première moitié du siècle. Le terme, en effet, dès son apparition, en 1910, pour désigner le fauvisme* et jusque dans son application aux protagonistes des mouvements allemands de la Brücke et du Blaue Reiter à partir de 1912, possède une acception si large qu'il peut englober tout art voulant traduire des réalités intérieures par des déformations du dessin* et de la couleur*. On peut cependant considérer, avec le grand collectionneur J.-E. Müller, qu'il convient de le réserver à des artistes qui « déforment la réalité visible afin de rendre compte d'une insatisfaction, d'une nostalgie, d'un malaise d'être ».

La peinture de Marc Chagall, bien qu'expressive, apparaît alors rétive à une telle définition, en dehors peut-être de ses œuvres de 1910-1912 qui le rattachent au néo-primitivisme russe ou de celles des années 1935-1945 où abonde la représentation des drames humains, mythiques et bibliques. EC

plus facile et ils peuvent entreprendre de nombreux voyages : Hollande, Espagne, Pologne, Palestine, Italie. Vollard* commande à Chagall une suite d'eaux-fortes pour *Les Âmes mortes* de Gogol. Ce sera le début d'une longue collaboration. L'artiste illustrera ensuite les *Fables* de La Fontaine (voir Gravures) et surtout *La Bible**. Développant les images de son monde intérieur, il reste à l'écart des courants picturaux. Bien qu'il reçoive l'adoubement de Breton, Chagall se méfie du dogmatisme qu'il perçoit dans le surréalisme. Dans ces années de « retour à l'ordre », son style gagne en « naturalisme » : la touche est plus fragmentée, la lumière plus diffuse, les couleurs* moins contrastées. Ses sujets, bouquets* de fleurs, couples d'amoureux* sont à l'image de son bonheur. Mais dans les années trente, l'angoisse va croissant. La Crucifixion, entourée de scènes de massacre, devient le symbole de la souffrance. Les couleurs s'obscurcissent. Chassés par le nazisme, Chagall, sa femme et sa fille se réfugient à New York (voir Amérique) en 1941. MHD

■ FAUVISME : « La peinture extraordinaire d'intensité » (Derain, à propos de Van Gogh)

Lorsque Chagall arrive à Paris à la fin de l'été 1910, le fauvisme est déjà passé de mode depuis plusieurs années. Au sens où ce terme a été inventé pour désigner les œuvres réunies par Matisse*, Derain, Vlaminck et quelques autres dans une salle du Salon d'Automne, en 1905, il ne peut plus être employé. Certains artistes pourtant en retiennent l'utilisation d'une gamme chromatique plus vive, détachée de toute tentative d'imitation du réel, mettant en valeur chaque ton pour lui-même. Si Chagall en reçoit une certaine influence, à partir de 1910, elle se limite à cette libération de la couleur*.

De la même manière que chez les autres protagonistes du néo-primitivisme russe (Mikhaïl Larionov en particulier) qui exposent en 1912 à l'exposition La Queue d'Âne (Moscou), la couleur reste presque toujours chez lui bornée par un dessin qu'elle remplit. Le peintre ne construit pas son tableau, comme Matisse, directement par la couleur, même s'il tire profit du pouvoir évocateur autonome de celle-ci. EC

Le Modèle, 1910. H/t 62 × 51,5. Bâle, coll. part.

Nozridov, 1923.
Eau-forte in
Les Âmes mortes
de Gogol,
37,5 × 28, Paris,
éd. Tériade,
1948.

■ **Gogol (Nikolaï)**

Pour leur première collaboration, Vollard* demande à Chagall d'illustrer un écrivain russe.
Au *Général Dourakine* qui lui
est proposé, le peintre préfère
Les Âmes mortes de Gogol. En
Russie, il avait déjà réalisé une
maquette de rideau de scène en
L'Honneur de Gogol et les décors
du *Revizor* pour le Théâtre
satirique révolutionnaire. Aucun de ses projets n'avait abouti,
mais l'artiste s'était familiarisé
avec l'auteur. Il aime l'humour
et le réalisme de Gogol qui lui
permet, dans les années vingt,
de renouer avec « un art de la
terre ». Le premier tome des
Âmes mortes, racontant les
escroqueries d'un petit fonc-
tionnaire, est une satire du ser-
vage et du régime tsariste.

L'écrivain dénonce les défauts
et les vices du peuple russe. Le
peintre reprend ce style incisif.
Il caricature sans pitié les personnages, l'intrigant Tchitchi-
kov, son cocher Séliphane, et
épingle les situations comme
La Soirée chez le gouverneur ou
Les Fonctionnaires au bureau. Il
évoque aussi le monde de son
enfance, des cours de fermes
aux enseignes des boutiques.
De 1923 à 1927, Chagall exécute quatre-vingt-seize eaux-
fortes et pointes-sèches (voir
Gravures) pour ce livre, qui ne
sera édité qu'en 1948 par
Tériade*. MHD

■ **Gravures
et livres illustrés**

Arrivé à Berlin en 1922, Chagall illustre son autobiographie,

Ma* vie, à la demande de Paul Cassirer. Seules vingt-six gravures seront finalement éditées. Le peintre se passionne pour cette technique qu'il aborde pour la première fois et parvient très vite à maîtriser la pointe-sèche et l'aquatinte.

À côté de ces travaux sur cuivre, il fait des essais sur la pierre et le bois, et réalise, en quelques mois, soixante-dix estampes. C'est alors qu'il rentre en France et rencontre Ambroise Vollard*. Les illustrations des *Âmes mortes* de Gogol* des *Fables* de La Fontaine (1927-1931) et de *La Bible**, témoignent de la même aptitude à suivre le mouvement du récit. Les trois ouvrages seront finalement publiés par Tériade. La diversité des livres illustrés témoigne d'une éblouissante invention plastique. L'eau-forte, par la virtuosité de la ligne et de la lumière jouant sur la blancheur du papier, restitue la cocasserie ou la grandeur épique de textes classiques ou contemporains. Totalement absorbé par ces commandes, Chagall n'exécute, entre les deux-guerres, qu'une cinquantaine de gravures indépendantes, comme les très beaux autoportraits au sourire et à la grimace. Il commence son travail par des gouaches, parfois des pastels, où il étudie précisément le sujet, la composition, la lumière. Puis il transpose son étude dans l'œuvre gravé. Mais la couleur lui manque de plus en plus et il ne parvient pas, pour des raisons techniques, à obtenir des gravures polychromes satisfaisantes. C'est pourquoi la lithographie lui apparaîtra comme une véritable libération. Ses premiers essais datent du séjour américain – il travaille à New York dans l'atelier de William Stanley Hayter – ; l'artiste illustre selon cette technique et en couleurs *Les Mille et Une nuits*. Il réalise des œuvres indépendantes, mais collabore surtout à de nombreux livres : *Daphnis et Chloé* (1961), *L'Éxode* (1966), *Le Cirque* (1967) pour Tériade, les deux tomes de l'*Odyssée* (1974-1975) publiés par Fernand Mourlot.

En 1957, Chagall rencontre Jacques Fréault : les ateliers Lacourrière vont lui permettre enfin de réaliser des eaux-fortes

L'Oiseau blessé d'une flèche, 1927-1930. Eau-forte in *Fables* de La Fontaine 36,5 × 29,5, Paris, éd. Tériade, 1952.

en couleurs. Il reprend cette technique, parallèlement à la lithographie, et illustre pour Adrien Maeght *Les Psaumes du roi David*, *Et sur la terre* d'André Malraux*, *Celui qui dit les choses sans rien dire* d'Aragon*. En 1968, Chagall exécute vingt-quatre gravures sur bois, technique exceptionnelle dans son œuvre, pour la publication de ses propres poèmes. MHD et SF

Hommage à Apollinaire

1911-1912. H/t 209 × 198.
Eindhoven, Stedelijk Van Abbemuseum.

Une longue suite de dessins sur le thème de l'homme, de la femme et du couple prépare ce tableau monumental qui reste un des chefs-d'œuvre de la période parisienne de Chagall (voir Paris des avant-gardes).

Dans les années 1911-1912, ce dernier mène un travail intense sur le thème d'Adam et Ève. Comme souvent chez l'artiste, le dessin*, dans la diversité de ses techniques, porte l'idée première et en cerne la lente maturation. Des nus féminins, à l'encre, à l'aquarelle ou à la gouache annoncent la série des études consacrées à Adam et Ève où se lit la première mise en place du tableau.

Le thème du couple originel préoccupe alors Chagall. Il expose au Salon de 1913 *Couple sous l'arbre,* version cubiste* d'une œuvre que Guillaume Apollinaire intitulera *Adam et Ève.*

Hommage à Apollinaire reprend le sujet mais en donne une représentation différente. Au centre du tableau la double figure d'Adam et Ève curieusement soudés l'un à l'autre. Des éléments allusifs, la pomme dans la main d'Ève, la sinueuse spirale autour d'Adam, évoquent le récit de la Genèse et l'épisode de la Chute. Mais le traitement abstrait des visages, comme dépersonnalisés, suggère une interprétation, qui n'est pas seulement narrative mais aussi symbolique, du texte de l'Ancien Testament. L'homme appartient à l'ordre de la Création et fait partie du mystère du monde.

Aucun détail décoratif ne vient distraire le regard. La composition vise une synthèse des formes et c'est dans un cercle que s'inscrit l'axe vertical de l'hermaphrodite originel. Ce schéma n'est pas sans rappeler Villard de Honnecourt ou Léonard de Vinci. La partition du cercle en sections colorées, les chiffres 9, 0, 1, 1 associent le thème du temps à celui du cercle cosmique, et la créature humaine semble bien être l'aiguille de l'horloge universelle.

Pour Chagall, la peinture n'a pas fonction décorative, mais spirituelle, voire métaphysique. Daté de 1911-1912, le tableau pose problème. Les mentions explicites de Walden, Canudo, Cendrars* et Apollinaire* suggèreraient une datation postérieure, confortée par une certaine influence du travail que mène Delaunay* en 1913.

Le titre du tableau lui-même fut changé après la rencontre d'Apollinaire qui présenta Walden à Chagall. Il serait alors vraisemblable que l'œuvre, élaborée en 1911-1912, ait été reprise et terminée dans sa version définitive en 1913-1914. SF

Le Rabbin de Vitebsk, 1923. H/t 117 × 85.
Chicago, The Art Institute.

■ Judaïsme
et spiritualité hassidique

L'univers pictural de Chagall puise à la tradition culturelle et religieuse juive et plus particulièrement hassidique. Le hassidisme – *hassid* veut dire pieux – apparaît au milieu du XVIIIᵉ siècle en Pologne et en Ukraine. Son fondateur, le rabbin Baal Shem Tov, s'inspirera de la Kabbale et créera un mouvement mystique dont la force charismatique repose sur l'expression spontanée de la foi. Le croyant s'adresse donc directement à Dieu et laisse parler son cœur dans l'intimité d'une relation personnelle. Face à la religion savante des rabbins, docteurs de la foi, le hassidisme est une forme de religion populaire, consolatrice, des humbles et des affligés. Le hassid rompt avec la rigidité du rituel ; il chante et danse, comme David devant l'Arche. Les hassidim de Pologne vont jusqu'à exécuter des sauts périlleux et toutes sortes d'acrobaties sur la place publique. Mouvement d'avant-garde, le hassidisme se répand rapidement en Pologne et en Russie. Il suscita un véritable renouveau et entraîna la renaissance spirituelle et intellectuelle du judaïsme européen à la fin du XIXᵉ siècle. Des écrivains, proches de Chagall, tels Peretz,

Bialik, y trouvent leur inspiration, prolongée aujourd'hui par l'œuvre d'Elie Wiesel.

Le Théâtre juif de Granovski en est l'illustration, comme le style propre de son acteur principal, Michoëls, dont le jeu scénique emprunte aux mimiques et aux torsions corporelles des hassidim. Enfin, la spiritualité hassidique, dans sa spécificité, semble bien s'incarner en ces rabbins, qui, dans l'œuvre de Chagall, poursuivent un silencieux dialogue avec Dieu. Figures méditatives et secrètes ou longues figures dansantes dont le dessin cerne l'attitude et le pathétique. SF

■ Juif rouge (Le)

De 1914 à 1916, tout un ensemble d'œuvres, de grand format pour la plupart, est inspiré de la tradition juive (voir Judaïsme) dont une impressionnante série consacrée aux vieillards et aux rabbins. La présence de ces vieillards bouleverse le regard, douleur pesante et muette qui les accable, solitude d'un immémorial destin : *Le Juif en vert, Le Mendiant en rouge, Le Juif en prière, Le Juif rouge* portent sur leur visage ridé le désespoir d'un peuple persécuté. *Le Juif rouge* prend de surcroît une dimension mythique. Assis devant les maison-

« *Je m'étais engagé comme aide chez le chantre et,*
aux jours de grandes fêtes,
toute la synagogue et moi-même
entendions distinctement flotter mon soprano sonore.
Je voyais sur les figures des fidèles des sourires,
l'attention, et je rêvais : " Je serai chanteur, chantre.
J'entrerai au Conservatoire. " »

Ma vie, 1931.

nettes de bois, il occupe avec force tout l'espace de la toile. La figure fortement structurée s'adosse sur le fond des toits construits par plans contrastés de couleur*. Cette dernière a une fonction volontairement antinaturaliste. Le rose, le rouge s'opposent aux verts et aux jaunes. La barbe flamboie, une main est blanche, l'autre verte. La couleur est totalement détournée de sa signification réaliste. Elle souligne au contraire la dimension symbolique et archétypale que Chagall veut donner à son personnage. Un encrier et sa plume, posés sur le toit, rappellent que tout rabbin est dépositaire de la Loi, que l'on retrouve écrite en caractères hébraïques sur le fond « rayonnant d'une rude puissance solaire » (Meyer). *Le Juif rouge* impose l'évidence de sa nature prophétique et de son caractère sacré. SF

Le Juif rouge, 1915. H/c 100 × 80,5. Saint-Pétersbourg, Musée russe.

■ Léger (Fernand)

Léger (1881-1955) rencontre Chagall en 1911, lorsque celui-ci s'installe à La Ruche (voir Paris des avant-gardes) où il réside pour sa part depuis 1908. Tout, ou presque, pourrait opposer les deux hommes, hormis leurs amitiés communes avec Cendrars* ou Apollinaire*. Léger, en effet, selon les termes d'une de ses conférences de 1913, est avant tout un peintre de « la vie actuelle, plus fragmentée, plus rapide » ; il rejette « le côté sentimental » pour prôner un art monumental et populaire. L'aspect novateur de sa peinture a pourtant dû frapper Chagall, à tel point que le tableau *Adam et Ève* (1912) semble un hommage direct à *La Noce* de Léger, terminé l'année précédente, moins par le thème que par la construction

Fernand Léger,
La Noce,
1910-1911.
H/t 257 × 206.
Paris,
musée national
d'Art moderne.

langage, ce sera la rudesse du ton parlé, des sonorités grinçantes ou rauques, les images brutales. »

Très hostile à la guerre, il accueille avec enthousiasme la révolution* d'Octobre. Lounatcharski pense former un ministère où Chagall serait responsable des arts plastiques, Meyerhold du théâtre et Maïakovski de la littérature. Bien que le projet n'aboutisse pas, le poète, membre du parti bolchevique depuis l'âge de quatorze ans, s'engage complètement dans la lutte révolutionnaire. Il attend du communisme l'émergence d'un monde nouveau. Animateur du LEF (Front gauche de l'art), il est partisan d'un art moderne, fonctionnaliste et pragmatique, fondé sur les acquis du début du siècle. Mais, face à la montée du conformisme stalinien, il ne peut que constater le divorce des avant-gardes politique et artistique. Il se suicide en 1930. Chagall restera fidèle à sa mémoire et réalisera une affiche en 1963, pour les soixante-dix ans du poète. MHD

en bandes verticales rythmiques appuyée sur des dominantes colorées verte, jaune et rose. Mais il s'agit là d'une œuvre isolée, qui témoigne aussi des forts particularismes culturels du peintre russe. En 1945, Léger réalise la façade de l'église d'Assy, pour laquelle Chagall travaillera dix ans après. EC

■ **Livres illustrés.**
Voir Gravure

■ **Maïakovski (Vladimir)**
Chagall fait la connaissance de Maïakovski (1893-1930) en 1915 à Pétrograd. Il y côtoie également les poètes et écrivains Blok, Essenine, Pasternak et reçoit l'appui des critiques Efros et Benois. Maïakovski apprécie sa peinture. On lui prête ce mot : « Souhaitons que chacun chagalle comme Chagall », chagaller voulant dire marcher à grands pas. Adepte du futurisme, le poète s'attache au monde urbain, que le mot doit exprimer. « Dans le domaine du

*« Octobre. Faut-il y adhérer ou pas ?
Cette question ne se posait pas pour moi
(ni pour les autres futuristes moscovites).
C'était ma révolution à moi. »*
Vladimir Maïakovski.

■ **Malraux (André)**
Chagall rencontre André Malraux en 1924, lors d'une exposition rétrospective à la galerie Barbazange-Hodebert. Le peintre, rentré en France l'année précédente, est au début d'une vie nouvelle. Quant à Malraux, il a vingt-trois ans et ignore tout de son destin. Reconnu au sein de la *Nouvelle Revue française*, il va y collabo-

rer activement. Dans les années trente, il participe à la guerre d'Espagne, écrit *La Condition humaine* et *L'Espoir.* Résistant durant l'Occupation, il devient, en 1945, porte-parole du général de Gaulle, puis ministre des Affaires culturelles. L'écrivain a toujours été passionné par la création artistique dont il donne une vision très personnelle dans la trilogie *Le Surnaturel, L'Irréel, L'Intemporel.* Grand admirateur de Chagall, il suit avec intérêt l'évolution de son œuvre et favorise sa carrière. Malraux encourage son travail sur le vitrail* et lui offre, en 1963, une des plus pres-tigieuses commandes de la Ve République : le plafond de l'Opéra* de Paris. Il soutient le projet du *Message* biblique* et assiste à l'inauguration du musée à Nice en 1973. Chagall illustre un de ses textes, *Sur la terre,* publié par Adrien Maeght. L'écrivain, quoique surpris par la fidélité que le peintre accorde au texte, rend hommage à ses quinze eaux-fortes (voir Gravures) qu'il lie avec hardiesse aux noirs de Rembrandt*, de Piranese et de Goya. Cet ouvrage est le dernier témoignage d'une longue amitié qui s'achève à la mort de Malraux, en 1976. MHD

Vladimir Maïakovski, 1924. Photo de Rodtchenko. Moscou, Archives Rodtchenko.

■ MARIÉS DE LA TOUR EIFFEL (LES)

Arrivé pour la première fois à Paris, Chagall est fasciné par la tour Eiffel. Bien que le monde de Vitebsk* soit alors omniprésent, il la représente à plusieurs reprises, énergique verticale affrontée à la grande roue ou plus familièrement vue d'une fenêtre. Comme chez son ami Delaunay*, elle restera le symbole de la ville-lumière que Chagall regagne en septembre 1923. La Tour est alors associée aux jours heureux des années vingt.

En 1928, le peintre donne une première version des *Mariés de la tour Eiffel*. La composition, qui s'articule autour du thème de la fenêtre, est très proche de *Paris de ma fenêtre*, daté de 1913. L'ambiance est cependant plus sentimentale, plus onirique. Vitebsk a trouvé refuge au premier étage de la pile métallique, des arbres poussent à l'horizontale, le ciel est peuplé de cavaliers, de carrioles, d'amoureux* et de comédiens. Un ange*, peint sous les traits de la petite Ida, enfreint l'espace pour offrir aux époux un bouquet* de fleurs. Le tableau dégage une grande tendresse familiale.

Dix ans plus tard, *Les Mariés de la tour Eiffel* réapparaissent (1938-1939). De nouveau enlacés, ils prennent leur envol sur le coq* tutélaire. Ils laissent à leurs pieds Vitebsk, et la diagonale ascensionnelle de leur course se profile entre les deux verticales amicales de la Tour et de l'arbre. L'oiseau colossal est leur complice. Sa blancheur s'accorde à celle de l'épousée.

Dans les plumes de la queue, Chagall inscrit encore un mariage, présenté plus traditionnellement sous le baldaquin. Il est vrai qu'à l'approche de la guerre, les symboles du judaïsme* se multiplient. Un ange fuse, un bouquet à la main tandis qu'un autre plonge, avec le chandelier, vers le village russe. Les époux semblent hésiter entre la joie et la gravité. Leur silencieuse envolée domine la composition.

Chagall orchestre sa toile avec une grande rigueur ; les différents éléments sont harmonieusement unis par sa touche vibrante et mousseuse, ses délicats accords de couleurs. La lumière du disque solaire, la musique du petit âne (voir Bestiaire) hybride et les forces élémentaires, symbolisées par le coq, semblent préserver les amoureux des périls de la guerre.

Le peintre offre ici un hymne à l'amour et à la vie. MHD

Les Mariés de la tour Eiffel

1938-1939. H/t 150 × 136,5.
Paris, musée national d'Art moderne (dation 1988).

Matisse (Henri)

Les premiers tableaux peints par Chagall à Paris, tels que *L'Atelier*, laissent entrevoir le choc causé par les œuvres d'Henri Matisse (1869-1954) exposées au Salon d'Automne de 1910. Chagall n'a pas cessé par la suite d'affirmer qu'il se sentait « proche [...] par le cœur » de l'art du « prince des fauves » (voir Fauvisme). Les ressemblances entre les deux œuvres restent pourtant superficielles, même si Chagall a pu être conforté par Matisse dans sa volonté de libérer la couleur* de ses contraintes imitatives. Il en a retenu surtout les possibilités d'audace accrue, qui lui firent déclarer : « Matisse, ça oui ! Cette anarchie enlevée, cet élan ! » Les relations entre les deux hommes furent d'ailleurs à l'image de celles qu'entretenaient leurs arts : distantes mais cordiales, respectueuses sans être fréquentes. Des relations de voisinage en somme, tant à Montparnasse dans l'entre*-deux-guerres que dans la région niçoise dans les années quarante. Chagall s'installe à Vence* l'année où Matisse quitte cette ville pour Cimiez. EC

Marc et Bella Chagall avec Pierre Matisse dans sa galerie à New York, 1941-1942.

Matisse (Pierre)

Fils du peintre Henri Matisse*, Pierre Matisse (1900-1989) participe en 1924 à l'organisation de la première exposition rétrospective de Chagall à Paris*, à la galerie Barbazange-Hodebert. Dès l'année suivante, bien que son père s'oppose à ce qu'il devienne marchand de tableaux, il s'installe à New York où, après plusieurs années de collaboration avec Valentine Dudensing, il ouvre sa propre galerie, en 1931. Il y expose les principaux protagonistes du modernisme français, œuvrant en particulier à la popularité de son père et de Joan Miró aux États-Unis. Lorsque Chagall arrive en exil à New York (voir Amérique), il trouve auprès de Pierre Matisse l'un de ses plus sûrs soutiens. Celui-ci organise en novembre 1941 une rétrospective comprenant vingt et une œuvres du peintre.

Jusqu'en 1948 les expositions personnelles de Chagall se succèdent annuellement à la galerie Pierre Matisse, composées de peintures et de gouaches récentes. Mais en 1949 l'artiste, qui est rentré en France depuis deux ans, rejoint la galerie fondée à Paris par Aimé Maeght. Les liens distendus entre les deux hommes ne peuvent faire oublier ce que Chagall doit à son marchand des années de guerre, qui lui a notamment permis d'obtenir la fidélité de plusieurs collectionneurs américains importants et a prêté son concours au succès de la rétrospective organisée par le Museum of Modern Art en 1946. Aussi les contacts reprennent-ils en 1966 pour aboutir à de nombreuses expositions à New York de 1969 à 1981. EC

■ *MA VIE* : **Chagall se raconte**

Chagall débute la rédaction de son autobiographie en 1921. Après la révolution* d'Octobre, l'artiste s'est trouvé isolé face aux mouvements constructiviste et suprématiste*. Installé avec sa famille à Moscou, il termine les décors pour le théâtre* d'Art juif et enseigne le dessin*. Il est au milieu de sa vie, au seuil de l'exil et décide d'écrire, en russe, sa biographie. Chagall avertit le lecteur :

« Voici mon âme. Cherchez-moi par ici, me voilà, voici mes tableaux, ma naissance […] ces pages ont le même sens qu'une surface peinte. » Suivant son style, l'artiste évite les descriptions réalistes au profit des évocations poétiques, des sensations fugitives. Il évoque son enfance, sa famille. Il présente Vitebsk*, les rites hassidiques (voir Judaïsme) qui rythment la vie quotidienne. Puis vient le temps de l'inconcevable vocation artistique ; la peinture l'emporte sur la musique. Le séjour parisien, marqué par le souvenir de Bella* et de la Russie, est rapidement brossé. Le récit se termine sur les années de guerre et la révolution russe. En 1922 Chagall s'installe pour une année à Berlin*. Cas-

Au chevalet, 1922. Eau-forte et pointe sèche 24,7 × 19. Planche 18 de la suite *Ma vie.*

sier lui demande de traduire son texte en allemand et lui commande pour l'illustrer une vingtaine de gravures*. Chagall expérimente cette technique pour la première fois. Il suit d'abord le texte, puis s'en éloigne, présentant au lecteur son univers : ses parents, sa maison, sa ville, Bella, le rabbin, le musicien, les amoureux*… Le livre ne verra pas le jour, seules les gravures seront alors publiées. Ce n'est qu'en 1929-1930 que Bella traduira le texte en français. *Ma vie* paraît chez Stock l'année suivante. Chagall dédie l'ouvrage à ses parents, sa femme et sa ville natale. MHD

« *Ce qui d'abord m'a sauté aux yeux, c'était une auge.* *Simple, carrée, moitié creuse, moitié ovale.* *Une auge de bazar. Une fois dedans, je la remplissais* *entièrement.* »   *Ma vie,* p. 11.

Abraham
et les trois anges,
1960-1966.
H/t 190 × 292.
Nice,
musée national
Message biblique
Marc Chagall.

■ Merveilleux : permanence du surnaturel

André Breton déclare que l'œuvre de Chagall, où prévaut le « surnaturel » (voir Apollinaire) marque l'entrée triomphale de la métaphore dans la peinture moderne. Le merveilleux de Chagall est étroitement lié à la spiritualité hassidique (voir Judaïsme) qui détermina l'enfance du peintre. L'hassid reconnaît en toute chose la présence du divin ; l'allégresse le conduit vers Dieu. Les récits hassidiques parlent de rêves, d'anges*, d'envols au-dessus des villes, d'êtres hybrides. Chagall doit beaucoup à la magie de ces contes, mais ils sont bien sûr dépourvus d'images.

Le monde de la représentation entre dans sa vie, par un autre biais, tout aussi poétique, les *loubki,* ces gravures naïves et populaires, grossièrement colorées et dessinées, que diffusaient les colporteurs. Les *loubki* sont le lieu d'expression de la verve et de l'imaginaire slave. Des cavalières chevauchent le dos des coqs*, de pauvres gens se sauvent par les cheminées et planent (voir

Apesanteur) dans les airs pour échapper à leurs créanciers, les animaux (voir Bestiaire) habillés ont les mêmes attitudes que les hommes…

Toute sa vie, Chagall développera dans son univers pictural les richesses iconographiques de sa natale Russie. « Mes tableaux sont des arrangements picturaux d'images intérieures qui me possèdent », explique-t-il. Cet émerveillement initial lui permet de transgresser le monde des apparences, de passer de l'autre côté du miroir. Il se joue de la gravitation, des échelles, des espèces, lie le con-

cret au spirituel et échappe enfin à la dualité de la condition humaine. MHD

■ Message biblique (cycle et musée du)

Dès 1950, à son retour en France, lors de son installation dans le Midi méditerranéen, Chagall porte à maturité le projet d'un cycle consacré à la Bible. Le thème est présent dans l'œuvre depuis longtemps. En 1930 et 1931, lors de son voyage en Palestine, la série de gouaches préparatoires à l'illustration commandée par Vollard* (voir Bible) qui ser-

Chagall

vira d'esquisse générale au futur *Message biblique. Le Roi David* et *Moïse recevant les Tables de la Loi, La Traversée de la mer Rouge, Moïse brisant les Tables de la Loi* constituent la première formulation du cycle lui-même entre 1950 et 1952. Les compositions qui le forment se caractérisent toutes par un format monumental qui confère à chaque sujet l'exemplarité d'une démonstration. Ce souci guide l'artiste dans sa recherche d'un lieu architectural. Le

peintre, en effet, songe à créer « un lieu de recueillement » propre à exprimer la sacralité de l'art par des œuvres qui pourraient à la fois être perçues en elles-mêmes et dans leur relation réciproque, en tant qu'ensemble donc.

Le travail mené, à la même époque, par Matisse* à la chapelle du Rosaire des dominicaines de Vence* n'est pas sans influer sur le projet. Un premier lieu est trouvé, la chapelle du Calvaire, à Vence où Cha-

gall réside alors. Mais des difficultés surgissent qui conduisent le peintre à y renoncer.

Le cycle pictural s'élabore cependant, durant plus de dix ans, par un travail acharné. Le dessin*, par l'usage de l'encre, de la gouache et particulièrement du pastel, témoigne de la lente maturation de l'œuvre qui emprunte son thème narratif à la Genèse, au Pentateuque et au Cantique des Cantiques. Dix-sept tableaux relatent l'épopée du peuple élu, depuis *La Créa-* *tion de l'Homme* jusqu'à *La Traversée de la mer Rouge*, que le cycle du *Cantique des Cantiques* vient compléter. Entré dans les collections nationales par donation du peintre et de Vava*, le *Message biblique*, autour duquel s'est édifié un musée à Nice, témoigne de la permanence de l'inspiration religieuse dans l'œuvre mais aussi de l'aptitude de l'artiste à lui accorder la dimension murale qui en fait l'héritière des grands cycles médiévaux. SF

Moïse devant le Buisson ardent, 1960-1966. H/t 195 × 312. Nice, musée national Message biblique Marc Chagall.

■ **Miroir (Le)**

L'impossibilité de regagner
Paris à l'automne 1914 conduit
Chagall et sa jeune femme
Bella* à s'installer à Pétrograd*,
capitale artistique et intellectuelle. Le peintre renoue avec
ses premiers collectionneurs, le
docteur Eliacheff, Kagan-
Chabchaj, le critique Sirkine ;
il rencontre l'écrivain fabuliste
Demian Bedny, et les poètes
Essenine, Pasternak et Maïakovski*. En mars 1915, il est
invité à participer à l'exposition
L'An 1915 que le critique

Le Miroir,
v. 1915.
H/c 100 × 81.
Saint-Pétersbourg,
Musée russe.

Constantin Kandourov, secré-
taire de la célèbre société Le
Monde de l'Art (*Mir Iskoutsvo*)
organisait à Moscou.
Réalisé alors, *Le Miroir* est
proche des compositions de
1914 qui accordent à des objets
banals un statut d'objets mythiques. Chagall use, avec une
extraordinaire poésie, du chan-
gement d'échelle. Accroché au
mur, un miroir gigantesque
occupe tout l'espace de la toile
et reflète une lampe à pétrole.
Au pied du miroir, une minus-
cule silhouette féminine dort,

la tête appuyée à la table. Le contraste, volontairement introduit entre les deux figures par la différence de dimension, donne déjà à la scène une atmosphère d'étrangeté. La profondeur nocturne* des couleurs*, bleus et violets, du miroir et de la lampe qui s'opposent aux jaunes et aux verts du fond, ajoutent au mystère. Le miroir semble une porte qui s'ouvre sur des espaces inconnus. La lampe, loin d'être un reflet fugitif et mobile, surgit, venue d'un autre monde, et impose sa présence monumentale, prophétique. À l'image du miroir lui-même, l'univers quotidien bascule, chute. S'y substitue un monde onirique, fantastique où les objets suggèrent une réalité autre que celle de leur propre apparence.

La construction plastique du tableau, nourrie des leçons parisiennes (voir Paris des Avant-gardes) où se reconnaissent celles de Robert Delaunay*, sert une signification symbolique. Parce qu'il donne à voir la mystérieuse essence des choses et des êtres, Le Miroir devient la métamorphose même de la peinture. SF

■ Mort

En 1908, Chagall peint Le Mort. « Je ne comprenais pas comment un être vivant peut mourir tout d'un coup » explique-t-il dans son autobiographie (voir Ma vie). « Un matin, bien avant l'aube, des cris soudain montèrent de la rue. » Une femme court seule, son mari se meurt. Plus tard « la lueur des cierges jaunes, l'assurance des mouvements des vieillards, me persuadent que tout est fini ». Ce souvenir est transposé comme toujours dans un monde plus équi-

voque, mais du corps aux cierges, des cris à la nuit (voir Nocturne), Chagall fixe les éléments de son iconographie. À Paris apparaît pour la première fois le thème de la Crucifixion* (Golgotha), grandement développé à l'approche de la seconde guerre mondiale. Roi des Juifs, le Christ de Chagall n'est pas l'instrument du salut individuel, mais le symbole de la souffrance partagée. Massacres et exodes entourent alors la Croix. Des abattoirs aux bœufs écorchés (voir Rembrandt), la mort frappe aussi aveuglément les animaux innocents (voir Bestiaire). Mais tel Orphée, Chagall semble parfois pactiser avec les profondeurs d'une éternelle nuit pour y retrouver le tendre visage de Bella*, précocement disparue. MHD

■ Mosaïques

Le cycle du Message* biblique témoigne de la nécessité intérieure qui conduit Chagall, dans les années 1950, à dépasser les limites du tableau. Poursuivant son œuvre monumental, la mosaïque lui permet de nouvelles associations avec l'architecture. Comme dans le vitrail*, le peintre peut intégrer à ses images les caprices de la lumière, ici prisonnière du jeu des tesselles.

Les mosaïques restent cependant assez peu nombreuses, leur exécution étant particulièrement difficile et contraignante. La première date de 1964-1965. Réalisée sur le mur extérieur de la librairie de la Fondation Maeght, elle reprend le thème des amoureux*. Pour la Knesset, Chagall crée un Mur des lamentations qui s'accorde aux tapisseries tissées pour le même bâtiment, dans la Manufacture des Gobelins. Il complète également la décoration du *Message biblique* avec une représentation du *Prophète Élie* (1972) et achève, en 1968, *Le Message d'Ulysse*, pour la faculté de Droit et de Sciences économiques de Nice. On retrouve l'inspiration méditerranéenne qui nourrit alors le travail de l'artiste renouvelé par les nombreux voyages en Grèce, Italie, Israël. Chagall confie à la pierre son message œcuménique d'espoir et de fraternité.

Sa dernière réalisation est aussi la plus imposante. À la demande de la First National City Bank, il accepte d'orner un bloc rectangulaire de vingt-cinq mètres de long, pour la place Nationale de Chicago. Le peintre choisit le thème universel des *Quatre saisons.* Ce travail herculéen lui vaudra d'être accueilli par la Ville, en 1974, lors de l'inauguration, avec tous les honneurs d'un chef d'État. MHD et SF

■ Naissance

« Je suis mort-né » écrit Chagall, dans *Ma* vie.* Il fallut piquer le nourrisson avec des aiguilles et le plonger dans l'eau froide pour qu'il pousse « un faible piaulement ». Puis survint un incendie, et l'on transporta d'urgence l'accouchée et l'enfant. *La Naissance,* peinte en 1910, présente avec réalisme la parturiente, étendue sur son lit. Chagall ne recule pas devant les détails triviaux comme le sang sur les draps ou le seau d'eau, mais le baldaquin isole et magnifie la femme, le clair-obscur (voir Nocturne) transcende le prosaïsme de la scène. L'artiste lie les mystères de la vie au religieux. L'épousée présentant son nouveau-né est

Le Prophète Élie, 1970.
Mosaïque
715 × 570.
Nice,
musée national
Message
biblique
Marc Chagall.

1970 Chagall MMC

proche de l'iconographie de la Vierge (*La Madone du village*, 1942) ; l'enfant dessiné dans le ventre de la *Femme enceinte* (1913) est directement emprunté au monde des icônes. L'émerveillement de la naissance, c'est aussi la petite Ida inscrite dans la joue de Bella* (*Le Mariage religieux*, 1918), l'enfant associé aux mariés dans le cours de *La Vie* (1964). La naissance fait écho au miracle de la Création. MHD

La Naissance. Plume sur papier.

La Naissance, 1911. H/t 46 × 36. Paris, succession Ida Chagall.

■ Noces et mariages

Bien sûr, il y a les alliances métaphoriques de la Belle et de la Bête, les amoureux*, les fiancés, les amants, et Adam et Ève, leurs éternels parents. Mais, dans cette quête de l'amour, il ne faudrait pas oublier la plus traditionnelle et la plus officielle des unions : le mariage. Dès ses débuts, Chagall représente les noces juives comme celles de sa tante, dans la cour de Lyozno. Il reprend, autour des époux, le long cortège des assistants dans la *Noce* de 1910 (MNAM). Puis vient pour l'artiste le temps de l'hyménée (1915). Dans *Le Mariage reli-*

Le Mariage religieux, 1918. H/t 100 × 119. Moscou, galerie Trétiakov.

gieux (1918), Marc et Bella* sont bénis par l'ange* qui leur annonce la venue prochaine d'un enfant, comme Anne et Joachim à la porte Dorée. Le peintre célébrera sans fin ses noces dans les époux anonymes qui gravitent au cœur de ses toiles (*À ma femme*, 1934). Munis du chandelier, serrés sous le baldaquin, accompagnés par le violoniste, les mariés se multiplient, dans les années trente, avec les symboles du judaïsme*. Le mariage est alors l'expression de son attachement à la culture juive. Mais d'une façon plus œcuménique, il est aussi la marque du

« *Je vois le fleuve s'éloigner, le pont plus loin et de tout près la clôture éternelle, la terre, la tombe. Voici mon âme. Cherchez-moi par ici. Me voilà, voici mes tableaux, ma naissance. Tristesse, tristesse.* »   *Ma vie*, 1931.

bonheur et de l'unité retrouvée. Fleurs (voir Bouquets), animaux (voir Bestiaire), saltimbanques et autres amoureux plus profanes sont couramment associés à l'envol des conjoints, que souligne la queue de comète de la traîne blanche. Ils sont au centre de *La Vie* et triomphent dans les vibrations colorées du *Cantique des Cantiques.* Parfois l'épouse est isolée (*La Madone du village*, 1942). Elle est alors assimilée à la Vierge, vouée à l'amour divin. MHD

■ Nocturne

Dès les années de formation, Chagall montre son goût pour les nocturnes. La nuit transpose une scène réaliste dans le monde de l'étrange. L'espace de la toile redevient illimité comme dans les icônes de l'art byzantin. Les nocturnes, propices aux jeux de la métaphore, sont fréquents durant le séjour parisien. De retour en Russie, l'ambiance mystérieuse de la nuit s'estompe au profit d'une inspiration plus réaliste. Mais à l'approche de la seconde guerre mondiale, les toiles à nouveau s'obscurcissent. Violemment éclairés par la flamme des bougies ou les synagogues* incendiées, associés aux crucifixions* et aux bœufs écorchés (voir Rembrandt), mais aussi au douloureux souvenir de Bella*, les nocturnes traduisent l'angoisse de l'artiste. La nuit retrouvera toute sa dimension poétique dans l'œuvre tardive (*Nocturne*, 1947). Les personnages colorés émergent alors, non sans difficulté, des bleus ou des noirs d'une obscurité profonde, hospitalière et tendre. MHD

Les Saltimbanques dans la nuit, 1957.
H/t 95 × 95.
Saint-Étienne, musée d'Art moderne.

■ OPÉRA ET THÉÂTRE : Chagall décorateur

En 1920, Chagall réalise des décors pour le directeur du théâtre* juif de Moscou, Alexeï Granovski. Pour la première fois, l'artiste est confronté aux problèmes plastiques liés à la création d'un véritable espace scénique : il imagine décors et costumes pour *Les Miniatures* de Sholem Aleikhem, spectacle d'inauguration du théâtre, et compose le décor de la salle elle-même. L'expérience théâtrale se déploie simultanément sur le plan scénographique et sur le plan architectural.

Aux États-Unis, le peintre rejoint le monde de la danse et conçoit des décors monumentaux. En 1942, Léonide Massine lui commande les décors et costumes pour le ballet *Aleko* dont il compose la chorégraphie. L'œuvre de Chagall épouse avec bonheur l'argument du ballet et les caractères des personnages, qui seront pour beaucoup dans le succès du spectacle dont la première représentation a lieu à Mexico. L'expérience se renouvellera en 1945 pour *L'Oiseau de feu*, anciennement inscrit au répertoire des Ballets russes, avec une nouvelle chorégraphie de Bolm puis de Balanchine. Pour le conte russe mis en musique par Stravinsky, Chagall invente des costumes chatoyants profondément imprégnés du merveilleux* légendaire. Le ballet, ainsi mis en scène par les deux artistes, semble être l'illustration du génie slave.

À son retour en France, le peintre sera encore sollicité pour la scène et l'espace théâtral : en 1958, le ballet *Daphnis et Chloé* est créé à l'Opéra de Paris par Georges Skibine et Claude Bessy sur la musique de Ravel, avec les décors et costumes de Chagall. L'Opéra se voit d'ailleurs doté en 1964 d'un nouveau et lumineux plafond, hommage que le peintre rend aux musiciens qu'il vénère : Tchaïkovski, Moussorgski, Gluck, Rameau, Berlioz, Ravel, Debussy, Stravinsky et Mozart. Mozart qu'il retrouve à l'occasion du spectacle inaugural du Metropolitan Opera *La Flûte enchantée*. Le décor, les costumes et les masques répondent avec grâce et force au merveilleux de la fable, tandis que dans le hall se déploient deux compositions monumentales, *Les Sources de la musique* et *Le Triomphe de la musique* dont les tonalités chaudes vibrent comme un signal. SF

■ Orphisme

En 1912, Apollinaire*, cherchant à distinguer les œuvres de Robert Delaunay* de celles des autres peintres cubistes*, invente pour les désigner le terme d'orphisme, qui lui a sans doute été suggéré par son propre recueil *Le Bestiaire d'Orphée*, publié peu avant. Sont « orphistes » ceux qui peignent « des ensembles nouveaux avec des éléments empruntés non à la réalité visuelle, mais entièrement créés par l'artiste ». L'année suivante, il précise que cette tendance s'appuie sur les principes du divisionnisme, non pas « en brisant la lumière, mais en suscitant à la fois toutes les couleurs du prisme ». L'amitié de Chagall avec les protagonistes de cet éphémère et vague mouvement explique que plusieurs de ses tableaux des années 1913-1914 portent la trace de cette utilisation de la couleur*, qui répartit harmonieusement les tons et leur complémentaire sur l'ensemble de la surface pour suggérer ce qu'Apollinaire nomme le « surnaturel » (voir Merveilleux). EC

■ Paris
des avant-gardes

« J'ai quitté mon pays natal en 1910. À ce moment-là j'ai décidé que j'avais besoin de Paris. » Chagall occupe d'abord quelques mois un atelier, 18 impasse du Maine, puis s'installe à La Ruche où il demeure jusqu'à la fin de son séjour (juin 1914). Cette étrange bâtisse en forme de rotonde, construite au début du siècle à proximité des

Robert Delaunay, lithographie pour *Allo ! Paris !* de Joseph Delteil, 1926.

Page de gauche : Plafond de l'Opéra Garnier de Paris, 1964.

abattoirs de Vaugirard, concentre plus de cent quarante ateliers. Véritable phalanstère, elle réunit de jeunes artistes venus du monde entier. Chagall y rencontre Archipenko, Léger*, Lipchitz, Modigliani, Soutine, ainsi que les poètes Canudo, Jacob et Cendrars* qui évoque les longues nuits de travail de l'artiste. « Il dort/ Il est éveillé/ Tout à coup il peint. » Chagall réalise à La Ruche quelques-unes de ses plus belles toiles : *À* *la Russie, aux ânes et aux autres, Dédié à ma fiancée, Moi et le village, Hommage* *à Apollinaire...* Visiteur assidu des Salons et des galeries, il adopte rapidement la liberté et l'intensité des couleurs* fauves (voir Fauvisme), puis la géométrisation et la décomposition de l'espace cubiste*. Chagall est particulièrement sensible à l'orphisme* de Delaunay* et aux contrastes de formes de Léger. Il fréquente Apollinaire*, se mêle à la bohème de Montparnasse et participe, avec enthousiasme, à l'avant-garde picturale. Dès 1912, il expose au Salon* des Indépendants. Mais, soucieux d'exprimer ses sensations, le peintre applique les moyens plastiques, découverts à Paris, aux souvenirs de Vitebsk* et de Bella*, au merveilleux* hassidique (voir Judaïsme) et slave. « Il me semblait, il me semble encore, qu'il n'y a pas de plus grande révolution de l'œil que celle observée à mon arrivée à Paris. » MHD

■ Pen. Voir Avant 1914

À Paris*, Chagall fréquente plus volontiers les poètes que les peintres. Il connaît Canudo, directeur de la revue *Montjoie*, Max Jacob, André Salmon, Blaise Cendrars* et bien sûr Apollinaire*. Mais c'est son voisin, le poète Mazin, comme lui installé à La Ruche, qu'il choisit de portraiturer. Chagall pratique en fait assez peu le portrait, il ne représente guère que ses proches. Aussi commence-t-il par un dessin* préparatoire où il fixe les traits particuliers de son camarade. Puis il réalise un petit tableau à l'huile, daté de 1911-1912. Le poète est assis à sa table, buvant du café.

Selon les principes du cubisme*, auxquels adhère alors Chagall, l'espace est délibérément redressé, la table et la tasse déversées vers l'extérieur. La composition rappelle d'autres figures isolées de la même période, comme *Le Saoul*. Mais l'image reste plus réaliste, malgré sa simplification. Le modèle est reconnaissable, crâne proéminent et yeux sombres. Il n'en sera plus de même dans *Le Poète* ou *Half past three*, que Chagall réalisera ensuite. Comme dans la toile représentant Mazin, le personnage boit ; il est même en train d'écrire. Mais le peintre sape tout effet de réel. La figure s'inscrit à présent dans une combinaison de lignes et de couleurs hors de tout naturalisme. Les facettes cristallines écrasent et matérialisent l'espace de la toile. La table, la bouteille, le rideau, les jambes et les bras sont traités suivant un réseau de diagonales, toutes parallèles. Cette disposition provoque une sorte d'accélération qui culmine dans le tournoiement de la tête. Le chef est détaché du corps. Une extravagance, alors courante dans l'œuvre de Chagall, qui symbolise l'inspiration du poète. Cubiste à sa manière, le peintre ne renonce pas à l'usage des couleurs*. Le rouge dynamise la composition, le bleu transporte le corps du poète dans un monde irréel et le vert évoque la transe de la création. MHD

Le Poète Mazin

1911-1912. H/t 73 × 54.
Paris, musée national d'Art moderne
(donation Ida Chagall 1984).

◼ REMBRANDT
« Je suis certain que
Rembrandt m'aime » (Chagall)

Sans doute parce que l'œuvre de Rembrandt l'a fasciné dès ses débuts et convaincu des pouvoirs « surnaturels » de la peinture (voir Merveilleux). Dans *La Naissance*, datée de 1909, il fait déjà référence à son fameux clair-obscur (voir Nocturne). Cette lumière est pour lui fantastique ; elle transpose le réel dans un monde spirituel.

En souvenir du maître hollandais, Chagall reprend, dans les années vingt, le motif du bœuf écorché. Soutine, autre Juif de l'Europe de l'Est qui fut son voisin au temps de La Ruche (voir Paris des avant-gardes), se consacre également à ce thème, particulièrement expressif. Dans un premier temps, Chagall aborde le sujet avec un certain réalisme. L'animal est suspendu à une potence de boucher, le corps éventré au-dessus d'un bac où le sang est recueilli. Le peintre se souvient du grand-père de Lyozno et de l'oncle Neuch, tous deux bouchers, qui accomplissaient le rituel de l'abattage, de la « Vachette, nue et sacrifiée » que le couteau emportait « dans les airs » (*Ma vie*).

Page de gauche :
Rembrandt,
Sainte Famille,
1640.
H/b 41 × 34.
Paris, Louvre.

Avec la guerre, l'artiste s'attache plus souvent à cette scène violente qui traduit son angoisse. Les couleurs* stridentes de la chair déchirent douloureusement le fond obscur de la toile. Le coq* fuit, tandis que l'homme porteur du couteau surgit du ciel. Le bœuf écorché apparaît alors comme une variante de la Crucifixion*. Rien ne peut justifier le sacrifice révoltant de ces innocentes victimes.

Bien plus qu'une classique Vanité, leurs carcasses deviennent objets de méditation et plus encore de compassion. MHD

■ Révolution russe : Chagall commissaire aux Beaux-Arts

De retour en Russie (voir Avant 1914) à la déclaration de guerre, en 1914, Chagall retrouve un pays que la Révolution va bouleverser. Durant les années 1915-1916, le peintre partage sa vie entre Bella*, devenue son épouse, et le service qu'il accomplit au sein du ministère de l'Économie de guerre. La menace du conflit se traduit par toute une série de dessins* croqués sur le vif, soldats, brancardiers, femmes abandonnées sur des quais de gare solitaires, tandis que des portraits de Bella, du père ou des amis, témoignent de la douceur éprouvée lors des retrouvailles familiales.

La Révolution cependant éclate qui apporte à Chagall le bonheur d'une citoyenneté nouvelle. En 1917, en effet, les juifs se voient reconnaître un nouveau statut politique qui leur octroie tous les droits russes.

Lounatcharski, dont l'amitié remonte aux années parisiennes, devient président du Narkompross, le ministère de la Culture et des Arts du nouveau gouvernement bolchevik. C'est alors qu'il propose à Chagall, dont Efros et Tugendhold viennent d'écrire la première monographie, le commissariat aux Beaux-Arts de l'ancien gouvernement de Vitebsk*. Chagall accepte le 12 septembre 1918. Dès lors, pendant deux ans, le peintre va se consacrer totalement à une tâche d'enseignement. Il fonde une école, une académie, attire, dans son enthousiasme, son ancien maître Pen, Doboujinski, Lissitzky, Ivan Pougny et sa femme Xénia Bogouslavskaïa, organise cours, ateliers,

expositions, fêtes. Mais l'arrivée de Malévitch au sein de l'école va créer un grave conflit d'ordre esthétique et idéologique entre les deux personnalités. Déçu par l'attitude partisane de ses anciens amis, Chagall démissionnera, laissant la place à Malévitch et au suprématisme*. SF

■ Saint-Pétersbourg

C'est sous l'impulsion de son camarade Victor Mekler, que Chagall quitte Vitebsk* pour Saint-Pétersbourg à la fin de l'année 1906, alors capitale intellectuelle et artistique de la Russie impériale. Face à la continentale Moscou, son éternelle rivale, elle défend et illustre une culture ouverte sur l'Occident. L'intelligentsia pétersbourgeoise se retrouve

En haut :
Le comité de l'Académie de Vitebsk : Chagall au centre, Jehouda Pen (3ᵉ à gauche), Vera Ermolaeva et Kasimir Malévitch (à droite), 1919.

Saint-Pétersbourg, pont sur le canal de la Fontanka.

Mère et enfant,
1959. Bronze
67 x 37 × 25.
Paris, succession
Ida Chagall.

dans les salons d'une aristocratie qui perpétue une tradition héritière du XVIIIᵉ siècle français. Les principales écoles d'art y développent une recherche plastique marquée par l'impressionnisme et le symbolisme européen tout en puisant dans l'histoire russe. Nicolas Roerich, Alexandre Benois, Léon Bakst* sont alors les figures dominantes d'une modernité qui se cherche. L'école Zvanseva, que dirige ce dernier, en est l'exemple. Chagall, muni d'un mot de recommandation du critique Sew, y est accepté. L'enseignement, fort libéral, dispensé par Bakst et Doboujinski dénote l'influence des tendances néosymbolistes du groupe Mir Irkoutsvo auquel appartenait Bakst : ses leçons seront des plus profitables au jeune artiste. Il y apprend la maîtrise progressive de la courbe et de la couleur* comme élément structurel de la composition. Découverte fondamentale que Chagall mettra rapidement en œuvre. SF

■ Salon des Indépendants

Au Salon des Indépendants de 1912, Chagall expose *À* la Russie, aux ânes et aux autres* (MNAM), *Le Saoul* et *Dédié à ma fiancée,* trois œuvres majeures destinées à une fortune critique exemplaire.

Créé en 1884 par des artistes tels que Redon, Seurat ou Signac, ce salon sans jury ni récompense était resté, avec le Salon d'Automne fondé en 1903, l'un des rares endroits où les artistes les plus novateurs pouvaient montrer leurs œuvres à Paris, pour un large public. C'était donc aussi le théâtre des plus grands scandales. Chagall avait été témoin du dernier en date, lorsque, en 1911, ses amis Metzinger, Le Fauconnier, Delaunay*, Léger* et Gleizes avaient obtenu d'exposer ensemble dans la salle 41, bien vite baptisée « salle cubiste ».

À leur côté, et grâce à eux, ses propres œuvres sont exposées lors des Salons suivants, l'associant du même coup dans l'esprit des critiques au cubisme* et à l'orphisme*. EC

■ Sculptures

La pratique de la céramique*, découverte à Vence* et à Vallauris, conduit Chagall à la sculpture. Les années méditerranéennes qui voient le peintre s'installer, à partir de 1950, dans le Midi de la France, à Vence puis à Saint-Paul, vont être riches d'expérimentations nouvelles. L'équilibre intérieur que lui apporte son mariage avec Vava*, les paysages et la lumière éclatante de cette terre provençale où il a choisi de vivre, nourrissent une fièvre créatrice qui s'exerce à de multiples formes d'expression. Chagall modèle des pièces en terre cuite, évoluant naturellement de la céramique à la sculpture. Puis il utilise la pierre, tendre et claire, d'abord travaillée comme une plaque de graveur. Des bas-reliefs qui piègent admirablement la lumière surgissent, où se retrouvent les thèmes privilégiés, thèmes bibliques comme *Moïse et Jacob, Le Roi David, David et Bethsabée,* ou profanes comme *Femme au poisson, Les Amoureux*.* L'artiste choisit une pierre dont le grain, doré et plus serré, lui permet la ronde-bosse. Ainsi *Le Christ et la samaritaine,* dont le bloc en pierre de Rogne a la densité d'une sculpture

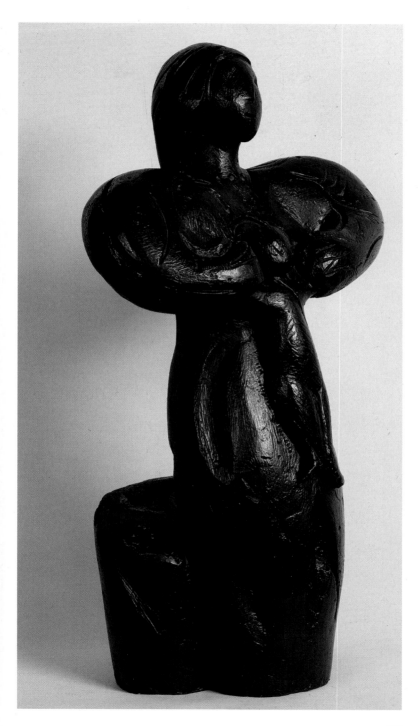

romane. Des pièces en bronze, fondues dans les ateliers de Susse, ont une rotondité calme et sereine, telle *Mère et enfant,* ou au contraire, magnifient des figures fantastiques, à la fois fortes et sensuelles. L'unité profonde de l'œuvre sculpté naît du rapport que l'artiste noue avec la matière. Le marbre, la pierre ou le bronze répondent d'abord à la lumière qui caresse les surfaces et en exalte les formes. SF

■ Synagogue

« Jour après jour, hiver comme été, à six heures du matin mon père se levait et s'en allait à la synagogue » et lors des fêtes juives « on m'éveillait à une ou deux heures du matin et je courais chanter à la synagogue » *(Ma* vie)*. Le culte rythme l'enfance de l'artiste et cette spiritualité hassidique restera au cœur de l'univers chagallien. Mais ce sont les clochers bulbeux des églises orthodoxes,

---

Kazimir Malévitch, *Carré noir,* v. 1915. H/t 110 × 110. Moscou, galerie Trétiakov.

■ SUPRÉMATISME
Le sentiment du monde sans objet

Aussitôt après avoir appelé Malévitch à Vitebsk*, Chagall s'oppose au caractère systématique de la théorie suprématiste que celui-ci développe. C'est à Pétrograd, à l'occasion de la Dernière exposition futuriste 0.10, à la fin de 1915, que Malévitch a exposé les premiers tableaux suprématistes de la peinture, aboutissement, selon lui, de tout l'art d'avant-garde. Parmi ceux-ci, le *Quadrangle* (carré noir sur fond blanc) est le début d'un nouveau langage artistique, absolument non-figuratif, incarnation du « sentiment du monde sans objet ». Dès 1919, le principal disciple de Chagall, El Lissitzky, abandonne les thèmes hébraïques et sa manière antérieure pour se ranger derrière Malévitch.

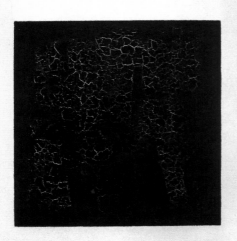

Cette victoire du suprématisme provoque la démission de Chagall (voir Révolution russe), après qu'en 1920 celui-ci a trouvé la pancarte « Académie libre » – qu'il avait fait apposer sur l'Académie des Beaux-Arts – remplacée par une banderole sur laquelle est inscrit « Académie suprématiste ». EC

plus visuels que les synagogues, qui évoquent la foi des hommes dans sa natale Vitebsk. Ils apparaissent de façon un peu anecdotique dans les premières toiles et reviennent dans le monde onirique des tableaux parisiens, sous les pieds des amoureux*. Symbole religieux, ils s'imposent, sans contradiction, à l'arrière des figures tutélaires, marchands de journaux, musiciens ou rabbins. À l'approche de la guerre, traumatisé par la montée de l'antisémitisme, Chagall approfondit son judaïsme*. Chandeliers, Thora, Tables de la Loi se multiplient tandis que les synagogues s'enflamment aux côtés des crucifix. L'artiste développera son message œcuménique dans le grand cycle du *Message biblique*. MHD

Synagogue à Vilno, 1935. Crayon 44,3 × 33,4. Moscou, musée des Beaux-Arts Pouchkine.

■ Tériade

Efstratios Elefteriades naît dans l'île de Mytilène, l'antique Lesbos, le 2 mai 1897. Après de brillantes études secondaires, il quitte la Grèce pour Paris. Entre 1915 et 1925, le jeune homme se liera très vite avec les artistes et les intellectuels qui font le renom de la capitale française. Tériade va y jouer un rôle dès sa rencontre avec son compatriote Christian Zervos qui vient de fonder *Les Cahiers d'art*. Ce dernier confie à Tériade la rubrique consacrée aux artistes « modernes ».
Dès 1926, le jeune critique se signale par des textes très justes, d'une grande sensibilité. Il défend Chagall, Braque, Beaudin et fait l'apprentissage du métier éditorial. Se séparant de Zervos en 1931, il rencontre Albert Skira, sans doute le plus connu des éditeurs d'art à l'époque. Décidé à se consacrer à l'univers des livres, il fonde les revues *Le Minotaure*, puis, en 1936, *Verve* qui sera sa première maison d'édition.
Défenseur de l'art moderne, Tériade développe une politique de création de livres de peintres ; comme Ambroise Vollard*, dont il reprend les projets après la seconde guerre mondiale, il édite des ouvrages et en confie l'entière conception aux grands artistes du temps, Braque, Matisse, Picasso, Léger*. À sa demande, Chagall achève l'illustration de *La Bible* et crée une de ses œuvres les plus inspirées, *Daphnis et Chloé*. SF

Marc Chagall et l'éditeur Tériade, 1951.

103

■ THÉÂTRE D'ART JUIF

É prouvé par son conflit avec Ma-lévitch, Chagall quitte Vitebsk* pour Moscou en 1920. Dans la capitale révolutionnaire, il retrouve les artistes et les intellectuels œuvrant avec fièvre pour un renouveau de la culture juive. Dans le domaine théâtral, les recherches portent sur les textes en yiddish ou en hébreux et sur la scénographie. Directeurs de troupes et acteurs militent pour un théâtre unissant tradition et modernité.

Alexeï Granovski, que Chagall avait rencontré à Vitebsk en 1919, dirigeait une troupe dont le répertoire témoignait d'un certain esprit d'avant-garde. En 1920, le théâtre d'Art juif s'installe à Moscou dans une nouvelle salle dont Chagall conçoit le décor : face à l'*Introduction au théâtre d'Art juif*, les figures allégoriques de *La Musique, La Danse, Le Théâtre* et *La Littérature*, complétées par *Le Repas de noce* et *L'Amour sur scène*, constituent un véritable hommage au génie juif, à son imaginaire, à ses artistes comme à ses acteurs. Ces grandes toiles tendues témoignent aussi d'une étonnante capacité à élaborer un espace architectural rompant avec l'esthétique naturaliste. Le cycle, en effet, mêle en une danse vibrante formes et figures, personnages fabuleux ou réels. Homme-violon, vache verte, cymbaliste dont on ne voit que les mains ou clown musicien dont on ne voit que la tête dialoguent avec Granovski, le critique Efros, Chagall lui-même ou Michoëls, le comédien danseur. Les couleurs rythment cette

Panneaux du théâtre d'Art juif :

Le Repas de noce

et

Introduction au théâtre d'Art juif

1920. Tempera, gouache
et argile blanche sur toile
64 × 799 et 284 × 787.
Moscou, galerie Trétiakov.

farandole où s'exprime une conception métaphorique du monde comme théâtre. Les figures allégoriques empruntent à la tradition juive, unissant dérision et émotion, burlesque et tendresse.

Inauguré avec *Les Miniatures* (*Mazeltov*, *C'est un mensonge*, *Les Agents*) de Sholem Aleikhem, le théâtre de Granovski aura une importance notable sur l'évolution et l'esthétique du théâtre juif post-révolutionnaire.

Ces œuvres témoignent avec éclat du talent de Chagall, entre 1914 et 1921, qui, s'il « reprend les formes et les rythmes de la peinture contemporaine », montre par son originalité « comment il est possible de donner à ces éléments une vie intense. » (Meyer). SF

■ **Tour Eiffel.** Voir Mariés de la Tour Eiffel

■ **Vava**

Au printemps 1952, Chagall fit la connaissance de Valentine Brodsky qu'il épousa le 12 juillet à Clairefontaine, près de Rambouillet. Auprès de Valentine, dite Vava, le peintre retrouvera le bonheur et la sérénité intérieure indispensables à sa faculté créatrice.

Une période nouvelle s'ouvre, marquée par des voyages nombreux et un lumineux accomplissement. Vava, en effet, accompagnera de sa tendresse l'œuvre monumentale que l'artiste porte en lui. Elle soutient la réalisation des grands cycles, celui du *Message* biblique, tout d'abord, dont elle sera codonatrice, puis le travail pour le vitrail*.

L'atelier de Vence* s'avère rapidement trop petit pour accueillir les grands formats. Vava conduit, avec l'architecte d'origine russe André Svetchine, le chantier d'une nouvelle habitation, la villa « La Colline » à Vence*. Elle veille attentivement au confort matériel de l'artiste qui dispose alors des espaces nécessaires au développement de son œuvre ultime.

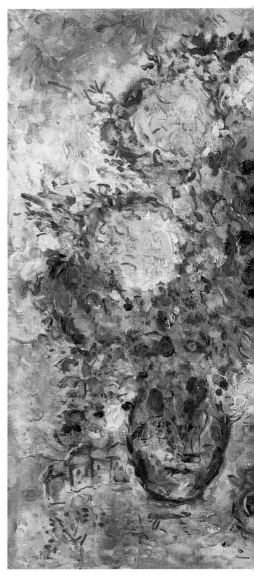

Secrète, méditative, Vava marque de son influence la dernière et riche période chagallienne. SF

■ **Vence**
En 1950, Marc Chagall s'installe dans le Midi de la France. À Saint-Jean-Cap-Ferrat, il

Le Soir, 1965-1966. H/t 75 × 95, 2. Coll. part.

Marc Chagall

rejoint l'éditeur Tériade, nouant avec lui une longue et fructueuse collaboration. Séduit par la beauté de la région, il se fixe à Saint-Jeannet puis à Vence*, dans la villa « La Colline » qui gardait le souvenir du poète Catherine Pozzi. Le charme médiéval de la petite ville avait attiré de nombreux artistes, dont Matisse*, qui travaillait à la décoration intérieure de la chapelle du Rosaire.

La période vençoise verra se développer le projet majeur du

Message* biblique. Peintre religieux s'il en est, Chagall portait en lui depuis longtemps le rêve d'un lieu unanime où la sacralité de l'art exprimerait la sacralité de la création. Dans le silence de son atelier de « La Colline », il œuvre à de grands formats verticaux. *Le Roi David, Moïse recevant les Tables de la Loi, Moïse brisant les Tables de la Loi, La Traversée de la mer Rouge* anticipent et préparent le cycle futur du *Message biblique.* La splendeur de la nature méditerranéenne ne cesse d'enchanter le regard du peintre qui s'exerce à l'apprentissage d'une technique nouvelle, la céramique*. Toiles ou terres cuites exaltent la couleur*, qui s'épanouit en bouquets* éclatants. SF

■ Violoniste (Le)

Le violoniste tient une place très importante dans la communauté juive de Vitebsk*. Il est présent à chaque fête, à chaque cérémonie et semble ainsi rythmer le destin de ses semblables.

Depuis 1908, ce personnage est fréquent dans l'œuvre de Chagall. À Paris*, le peintre représente un premier grand *Violoniste* (Amsterdam), sous les traits traditionnels du vieillard barbu. La toile s'inscrit dans une série consacrée aux types humains de son enfance. Le musicien domine un monde enneigé, envahi par la nuit (voir Nocturne) et peuplé d'étranges présences : un arbre bruissant d'oiseaux, un personnage pyramidal à trois visages… Sa tête verte, couleur* de la transe et de l'hallucination, apparaît dans les nuages où plane, comme une âme, un enfant auréolé. Tous les éléments semblent en mou-

Le Violoniste,
1912-1913.
H/t 188 × 158,5.
Amsterdam,
Stedelijk
Museum.

vement et le géant dansant communique à la scène une grande vitalité. Le violoniste est puissamment dessiné mais le réalisme cède à l'aura spirituelle et poétique de l'œuvre. Le tableau sera présenté au Salon* des Indépendants de 1914.

Chagall reprend le thème du violoniste vert dans les décors que lui commande, en 1920, Alexeï Granovski pour le théâtre* d'Art Juif de Moscou. Perché sur les toits de Vitebsk, le modeste juif devient allégorie de la musique ; il incarne l'âme musicale du Peuple élu. Sur le fond atone, l'âne (voir Bestiaire), l'oiseau, les personnages du petit peuple, les isbas et la synagogue* entourent discrètement le musicien.

Le panneau décoratif porte, plus que la version parisienne, la marque du cubisme* et du constructivisme. Formes géométrisées, volumes simplifiés, couleurs limitées, la figure, désarticulée dans sa large redingote, perd son épaisseur, sa matérialité.

De retour en France, Chagall peint une nouvelle version (Guggenheim) du musicien, très proche de celle du théâtre d'Art juif. La composition est identique, mais le modelé s'assouplit, les lignes s'arrondissent. Les couleurs sont plus profondes et la matière plus tendre. Isolé et monumentalisé, le violoniste reste le symbole de l'artiste en communication avec l'au-delà. MHD

■ Visionnaire (esthétique)

Selon la tradition hassidique (voir Judaïsme), le visible et l'invisible ont le même degré de réalité, le réel et le transcendant coexistent. Les scènes les plus réalistes sont associées au reli-

Double page précédente : *Moïse et le Buisson ardent* (détail), 1960-1966. Nice, musée national Message biblique Marc Chagall.

gieux. Le bulbe des églises domine Vitebsk*. Les amoureux* sont un reflet de l'amour divin, le colporteur l'image du juif errant, l'arbre un buisson ardent. Partout des bougies, des Thoras, les Tables de la Loi. Les hommes, les animaux (voir Bestiaire) et les anges*, en apesanteur*, s'élèvent dans le même mouvement spirituel.

Chagall peint de très nombreux sujets religieux, depuis les illustrations de *La Bible*, faites pour Vollard*, jusqu'aux vitraux* des cathédrales, en passant bien sûr par le cycle du *Message* *biblique*. Pendant la guerre, les crucifixions* prennent des allures d'Apocalypse. Mais l'artiste représente également *La Création de l'homme*. Un ange soustrait l'homme à la terre et l'emporte dans le domaine céleste, révélant ainsi la dualité de sa condition. Chagall tente de la transcender dans son œuvre qui ne peut être, à son tour, qu'une parcelle de l'Infini. MHD

■ Vitraux (les)

Les premiers vitraux de Chagall sont réalisés à la demande du Père Couturier pour la chapelle Notre-Dame-de-Toutes-Grâces du plateau d'Assy, en Haute-Savoie. Deux figures angéliques restituent avec délicatesse la maquette originale traitée en lavis.

D'emblée, Chagall comprend la nature profonde du verre – la transparence – et celle du vitrail, frontière symbolique entre espace profane et espace sacré. Robert Renard, architecte en chef de la cathédrale de Metz, va permettre au peintre de développer une œuvre pour le vitrail, qui reste majeure. De 1958 à 1968, un vaste programme est entrepris : l'atelier

■ VITEBSK
« Ma ville, triste et joyeuse ! » (Chagall)

Vitebsk, fondée au Xᵉ siècle au confluent de la Vitba et de la Dvina, est une des plus anciennes villes de Russie.

Cette cité marchande compte à la fin du XIXᵉ siècle près de soixante-dix mille habitants. La communauté juive, très importante, est profondément marquée par le mysticisme hassidique (voir Judaïsme). « Ma ville, triste et joyeuse ! Enfant je t'observais… Alentour, des églises, des clôtures, des boutiques, des synagogues*, simples et éternelles, comme les bâtiments sur les fresques de Giotto » *(Ma* vie)*. Vitebsk, ce sont aussi les rabbins, les balayeurs, les violonistes, la famille, les fêtes et les cérémonies.

Vitebsk, 1912.

De Saint-Pétersbourg* à Saint-Paul, Chagall évoquera toujours sa ville natale. Éloignée durant le premier séjour parisien, elle chavire dans le monde du rêve. Puis, à son retour en 1914, le peintre s'attache à nouveau avec plus de naturalisme à la pharmacie, l'église, les mendiants… Il offre alors à la postérité un poignant témoignage des faubourgs juifs de l'Europe de l'Est, que l'holocauste a engloutis.

Lorsqu'il part en 1920 pour Moscou, Chagall ne sait pas qu'il ne reverra plus jamais Vitebsk. Dans sa peinture, le village russe va pourtant sans cesse réapparaître, métaphore du monde, souvenir obsédant de son identité. En 1973, invité en Union soviétique, l'artiste refusera de se rendre sur les lieux de sa naissance*. « Ce que j'y verrais aujourd'hui me serait incompréhensible. Et de plus, ce qui forme l'un des éléments vivants de ma peinture s'avérerait ne pas exister. Cela serait trop douloureux… ». Chagall a depuis longtemps appris que « Seul est mien / Le pays qui se trouve dans mon âme ». MHD

Simon de Reims, et en particulier les maîtres-verriers Charles Marq et Brigitte Simon, le mettront en œuvre. Les vitraux de Metz feront découvrir à l'artiste un langage nouveau mis au service d'une liberté créatrice. Les admirables vitraux de la synagogue de l'université hébraïque d'Ein Karem, près de Jérusalem, suivront peu après. À partir de 1962, date à laquelle débutent les projets pour l'abside nord de la cathédrale de Metz, s'affirme une œuvre véritable : vitraux de la chapelle de Pocantico Hills dans l'État de New York, vi-

trail de Tudeley dans le Kent, vitraux du chœur de l'église de Fraumünster de Zurich, vitraux de la salle de concert du musée de Nice, de la chapelle d'axe de la cathédrale de Reims, *Fenêtres pour l'Amérique* de l'Art Institute de Chicago, enfin vitraux de Chichester, de Sarrebourg, du saillant en Corrèze et de l'église Saint-Étienne de Mayence. SF

La Création du Monde : les quatre premiers jours, 1971-1972. Vitrail 465 × 396. Nice, auditorium du musée national Message biblique Marc Chagall.

« *Je ne comprends pas l'abandon du vitrail, qui s'éveillait et s'endormait avec le jour [...]. L'art a préféré la lumière. Mais le vitrail, animé par le matin, effacé par le soir faisait pénétrer la Création dans l'église du fidèle.* »
André Malraux

Vollard (Ambroise)

Marc Chagall, Ambroise Vollard, Ida et Bella.

Chagall se trouve à Berlin*, lorsqu'il est averti par son ami Blaise Cendrars* qu'Ambroise Vollard apprécie son travail et souhaite le rencontrer. Vollard, le célèbre marchand de Cézanne, de Gauguin, des Nabis et de Picasso, a découvert l'œuvre de Chagall chez le collectionneur Gustave Coquiot et connaît sans doute également les gravures* que Cassirer vient de publier.

Depuis ses premières expériences éditoriales avec Bonnard, Vuillard ou Maurice Denis, le marchand se passionne pour les livres d'art. Promoteur infatigable, il demandera des illustrations à Derain, Dufy, Dunoyer de Segonzac, Maillol, Picasso, Rouault... En tout une trentaine d'ouvrages. Il sait associer avec brio peintres et écrivains, sans jamais contraindre leur art.

Pour leur première collaboration, Chagall illustre *Les Âmes mortes* de Gogol* (1923-1927). Puis viendront les *Fables* de La Fontaine et *La Bible*, soit plus de trois cents gravures.

Mais ces ouvrages seront finalement publiés par Tériade, bien après la mort de Vollard, survenue en 1939. Fidèle à sa mémoire, le peintre rendra toujours hommage au marchand qui lui apporta la liberté de créer. MHD

C H R O N O

1887 Né le 7 juillet à Vitebsk (Russie), Marc Chagall est l'aîné d'une famille de neuf enfants.

1906 Après ses études secondaires, il fréquente, durant deux mois, l'atelier du peintre Jehouda Pen.

1907 Départ pour Saint-Pétersbourg. S'inscrit à l'école de la Société impériale d'encouragement aux arts. L'enseignement ne lui convient pas.

1908 Entre à l'école Zvanseva, dirigée par Bakst, où règne un esprit plus libéral.

1909 Séjour à Vitebsk où il rencontre Bella.

1910 Présente trois œuvres (dont *Le Mort*) lors d'une exposition d'élèves, organisée par l'école Zvanseva. À la fin de l'été, part pour Paris.

1911-1912 Installation à La Ruche. Le monde de Vitebsk domine son inspiration : premiers chefs-d'œuvre (*À la Russie, aux ânes et aux autres, Moi et le village…*). Il se lie avec Apollinaire, Blaise Cendrars, Max Jacob, André Salmon.

1912 Avec le soutien de Delaunay, expose pour la première fois au Salon des Indépendants et au Salon d'Automne.

1914 Expose *Le Violoniste* et l'*Autoportrait aux sept doigts* au Salon des Indépendants. En juin, Herwarth Walden organise la première exposition personnelle de l'artiste à Berlin. Chagall se rend ensuite à Vitebsk. Parti pour trois mois, la guerre le contraint à rester en Russie.

1915 Épouse Bella, le 25 juillet. Employé dans un bureau d'Économie de guerre à Pétrograd. Rencontre de grands poètes russes comme Block, Essenine, Maïakovski…

1916 Naissance de sa fille Ida. L'artiste voit grandir sa notoriété ; il expose 45 tableaux au Valet de Carreau à Moscou.

1917 La révolution d'Octobre éclate. Il est question d'un ministère des Affaires culturelles où Chagall serait responsable des Beaux-Arts. Bella lui déconseille ce poste. Retour à Vitebsk. Il célèbre son union dans de grandes compositions (*Au-dessus de la ville, Double portrait au verre de vin…*)

1918 Lounatcharski le nomme commissaire des Beaux-Arts et directeur de la nouvelle école des Beaux-Arts de Vitebsk. L'État lui achète douze toiles.

1919 Chagall invite Pougny, Lissitzky, Malévitch à venir enseigner à Vitebsk.

1920 En mai, l'artiste, en conflit avec le courant suprématiste, démissionne. Installation à Moscou. Alexeï Granovski lui commande le décor du théâtre d'Art juif. Crée les décors et les costumes pour *Le Revizor* de Gogol, *Les Miniatures* de Sholem Aleikhem…

1921 Début de la rédaction de son autobiographie, *Ma vie*.

1922 Chagall se rend à Berlin. Bella et Ida le rejoignent. La plupart des tableaux d'avant-guerre sont perdus. À la demande de Cassirer, il exécute ses premières gravures pour illustrer *Ma vie*.

1923 Le 1er septembre, Chagall est à Paris. Il rencontre Vollard.

1924 André Breton lui rend hommage, mais le peintre refuse d'adhérer au mouvement surréaliste. Pour Vollard, il illustre *Les Âmes mortes* de Gogol. Les Chagall séjournent en Normandie et en Bretagne ; ils feront désormais, chaque année, des séjours en province. Le peintre s'inspire davantage de la nature. Début de sa longue amitié avec André Malraux.

1926 Illustration des *Fables* de La Fontaine à la demande de Vollard. Chagall fait la connaissance de l'éditeur Tériade, de Bonnard, Maillol, Rouault et Vlaminck. Première exposition à New York aux Reinhardt Galleries.

1927 Pour Vollard toujours, l'artiste crée une série de dix-neuf grandes gouaches sur le thème du cirque. Bernheim-Jeune devient son marchand. Rencontre Jean Paulhan.

1928 Bella traduit en français *Ma vie*.

1930 Alors qu'il achève les *Fables*, Vollard lui demande d'illustrer la Bible. Ce travail ne sera terminé qu'en 1956 et publié par Tériade. Les thèmes bibliques prennent une grande importance dans son œuvre.

1931 Les Chagall se rendent en Palestine, en Syrie, en Égypte. Découverte de la Terre Sainte. *Ma vie* paraît chez Stock.

1932 Voyage en Hollande ; grande admiration pour Rembrandt.

1933 Rétrospective au musée de Bâle. Voyages en Italie, Hollande, Angleterre et Espagne.

1935 Chagall se rend en Pologne ; il est profondément choqué par l'antisémitisme qui se développe en Europe de l'Est. Dans son travail, il affirme davantage son judaïsme et exprime son angoisse.

1937 Voyage à Villeneuve-lès-Avignon, puis en Italie. Chagall prend la nationalité française, tandis que l'Allemagne nazie décroche ses tableaux.

1939 L'artiste et sa famille se réfugient à Saint-Dyé-sur-Loire. Prix Carnegie.

1940 Installation à Gordes.

1941 Invités par le MoMA à New York. Pierre Matisse devient marchand de l'artiste.

1942 Voyage au Mexique : décors et costumes d'*Aleko*, ballet mis en scène par Massine. Ses œuvres traduisent sa détresse face à la guerre.

1944 Mort de Bella. Chagall reste dix mois sans peindre.

1945 *Autour d'elle, Les Lumières du mariage*, vibrants hommages à sa femme disparue. Pour le Ballet Theatre, crée les décors et les costumes de *L'Oiseau de feu* (chorégraphie de Balanchine).

1946 Rétrospective au MoMA. En mai, Chagall rentre à Paris. Premières lithographies couleurs (*Les Mille et Une nuits*).

1947 Nouveau séjour à Paris. Expositions en Europe : musée d'Art moderne de la Ville de Paris, Stedelijk Museum d'Amsterdam, Tate Gallery, Kunsthaus de Zurich et de Berne.

1948 Chagall rentre définitivement en France. Installation à Orgeval. Aimé Maeght devient son marchand. Prix international de la gravure à la XXVᵉ Biennale de Venise.

1949 Long séjour à Saint-Jean-Cap-Ferrat. Il exécute des peintures murales pour le foyer du Watergate Theater de Londres. Premières céramiques.

1950 Chagall s'installe dans sa maison « La Colline », à Vence.

1951 Deuxième voyage en Israël. Premières sculptures.

1952 Mariage avec Vava. Le peintre donne à sa carrière un nouvel essor et son œuvre tend à la monumentalité. Nombreuses commandes internationales. Premier voyage en Grèce. Tériade lui demande d'illustrer *Daphnis et Chloé*.

1954 Deuxième voyage en Grèce et séjour en Italie. L'exemple de la peinture vénitienne s'accorde à la profondeur et à l'intensité de sa gamme chromatique. Travaille le verre à Murano.

1955 Commence la série du *Message biblique*, achevée en 1966.

1957 Exposition rétrospective de l'œuvre gravé à la Bibliothèque nationale de Paris. Première mosaïque murale. Achève la décoration du baptistère du plateau d'Assy.

1958 Décors et costumes pour le ballet *Daphnis et Chloé* (Opéra de Paris). Début de sa collaboration avec le maître verrier Charles Marq.

1959 Rétrospective au musée des Arts décoratifs de Paris et au musée du Louvre.

1960 Vitraux pour la cathédrale de Metz.

1962 Inauguration à Jérusalem des vitraux, *Les Douze Tribus d'Israël*.

1963 À la demande d'André Malraux et du général de Gaulle, Chagall débute la maquette du nouveau plafond de l'Opéra de Paris.

1966 Quitte Vence pour s'installer à Saint-Paul.

1967 80ᵉ anniversaire. Inauguration du nouveau Metropolitan Opera de New York, décoré par Chagall et première de *La Flûte enchantée* dont il a créé les décors et les costumes. Rétrospective à Zurich et à Cologne, présentation du *Message biblique* au Louvre, exposition à la Fondation Maeght.

1968 Mosaïque sur le thème d'Ulysse pour l'Université de droit de Nice.

1969-1970 Rétrospective au Grand Palais et à la Bibliothèque nationale.

1973 Chagall se rend à Moscou et Leningrad en juin, mais il refuse de retourner à Vitebsk. Le musée du Message biblique est ouvert à Nice.

1974-1975 Inauguration des vitraux de la cathédrale de Reims. Parution des 82 lithographies originales de l'*Odyssée*.

1977 L'artiste est nommé grand-croix de la Légion d'honneur.

1984 97ᵉ anniversaire. Nombreuses expositions : musée national d'Art moderne, Fondation Maeght, musée national du Message biblique.

1985 Marc Chagall meurt le 28 mars à Saint-Paul-de-Vence.

BIBLIOGRAPHIE SÉLÉCTIVE

Marc Chagall, *Ma vie*, Paris, 1931.

Werner Haftmann, *Marc Chagall : gouaches, dessins, aquarelles*, Paris, 1975.

Roger Passeron, *Marc Chagall*, Fribourg, 1984.

Alexandre Kamenski, *Marc Chagall, période russe et soviétique 1907-1922*, Paris, 1988.

Franz Meyer, *Marc Chagall*, Paris, 1995.

Pierre Schneider, *Chagall à travers le siècle*, Paris, 1995.

Crédits photographiques : NEW YORK, The Solomon R. Guggenheim Museum ; NICE, musée national Message biblique Marc Chagall ; PARIS, archives succession Ida Chagall, Flammarion, Jacques Moatti, musée national d'Art moderne, Réunion des musées nationaux, Roger-Viollet ; ZURICH, Kunsthaus.

Directeur de la série Art : Stéphane GUÉGAN
Coordination éditoriale : Béatrice PETIT
Rewriting : Béatrice VIGNALS
Conception graphique et mise en pages : Frédéric CÉLESTIN, Paris
Photogravure et flashage : Pollina SA, Luçon
Papier : Technogloss 135 g distribué par Fargeas, Paris
Papier de couverture : Carte Gemini 250 g distribuée par Axe Papier, Champigny-sur-Marne
Couverture imprimée par Pollina s.a., Luçon
Achevé d'imprimer et broché en octobre 1998 par Pollina SA, Luçon

ISBN : 2-08-011767-X
ISSN : 1258-2794
N° d'édition : FA176702
N° d'impression : 75900
Dépôt légal : avril 1995
Imprimé en France

Légende des pages 4-5 : *La Noce* (détail), 1910. H/t 99,5 × 188,5. Paris, musée national d'Art moderne.